D0610988

PROTÉGEONS-
NOUS

Couverture

- Conception:
  GAÉTAN FORCILLO

Maquette intérieure

- Conception graphique:
  JEAN-GUY FOURNIER

DISTRIBUTEURS EXCLUSIFS:

- Pour le Canada:
  AGENCE DE DISTRIBUTION POPULAIRE INC.*
  955, rue Amherst, Montréal H2L 3K4 (tél.: 514-523-1182)
  *Filiale de Sogides Ltée
- Pour la France et l'Afrique:
  INTER-FORUM
  13, rue de la Glacière, 75013 Paris (tél.: 570-1180)
- Pour la Belgique, la Suisse, le Portugal, les pays de l'Est:
  S.A. VANDER
  Avenue des Volontaires, 321, 1150 Bruxelles (tél.: 02-762-0662)

Michael J. Trebilcock
Patricia McNeill

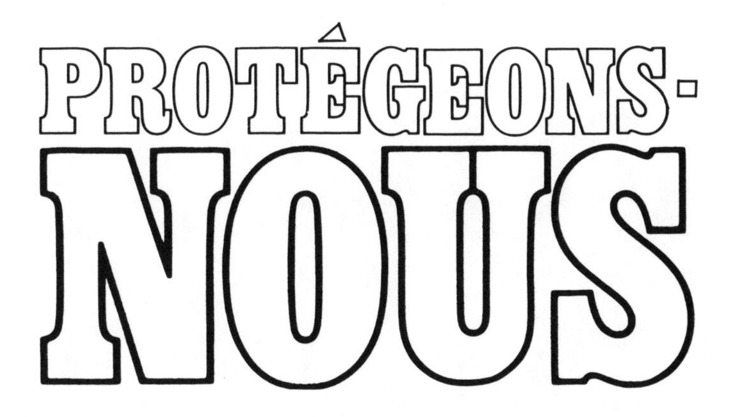

Révision et adaptation de
Vincent Paquette

*LES ÉDITIONS DE L'HOMME**

CANADA: 955, rue Amherst, Montréal H2L 3K4

*Division de Sogides Ltée

Publié par les Entreprises Radio-Canada/CBC
Enterprises, une division de la société
Radio-Canada, C.P. 6000, Montréal (Québec)
Canada H3C 3A8.

Published by les Entreprises Radio-Canada/CBC
Enterprises, a division of the Canadian Broadcasting
Corporation, P.O. Box 6000, Montreal (Quebec)
Canada H3C 3A8.

Bibliothèque nationale du Québec
Dépôt légal 2e trimestre 1984

ISBN 2-7619-0341-2

Introduction

En tant que consommateur:

Avez-vous déjà souhaité mieux connaître vos droits?

Avez-vous déjà eu besoin d'aide pour résoudre un problème sans trop savoir où vous adresser?

Avez-vous déjà voulu déposer une plainte sans savoir par où commencer?

Si vous avez répondu par l'affirmative à l'une de ces questions, ce guide peut vous être utile. Vous y trouverez les dispositions fondamentales des lois fédérales et provinciales qui régissent toute une série de transactions faites par les consommateurs. Vous y trouverez également des renseignements qui vous aideront à éviter les problèmes et à résoudre ceux qui peuvent survenir.

Chacun des six premiers chapitres traite d'un sujet particulier: la publicité trompeuse et les pratiques commerciales frauduleuses; les biens défectueux et les services inadéquats; le crédit; l'achat et la vente d'une maison; la location d'une résidence et l'assurance. Chacun de ces chapitres se divise en trois sections. Dans la première, on discute du sujet d'une façon générale et l'on donne des renseignements. La deuxième section se présente sous forme de questions et réponses afin de résumer et de comparer les lois fédérales et provinciales ou territoriales les plus importantes dans le domaine concerné. La dernière section du chapitre cite les lois particulières en vigueur à l'égard de chacun des sujets; elle contient également les listes (ainsi que les adresses) des organismes fédéraux, provinciaux, territoriaux et privés qui sont à la disposition des consommateurs pour tout ce qui se rapporte à ces législations.

On remarquera qu'il n'a pas été possible de mentionner *toutes* les différences entre les lois fédérales, provinciales et territoriales. On a cependant souligné les plus importantes, les renseignements donnés étant suffisamment détaillés pour vous donner une bonne idée des droits et responsabilités de toutes les parties intéressées. Avec ces renseignements, vous devriez être en mesure de décider si votre plainte est justifiée lorsqu'un problème se pose. Néanmoins, si vous avez besoin de renseignements plus détaillés sur la législation, votre bibliothèque locale pourra vous aider à trouver le texte officiel des lois.

Les résidents du Québec peuvent s'adresser à l'Office de la protection du consommateur, consulter ses publications, telles que la revue *Protégez-vous*, ou le guide 83-84 de tous les services du Gouvernement du Québec publié par Communication-Québec et disponible dans les librairies de l'Éditeur Officiel du Québec.

Le dernier chapitre de ce guide indique la façon de procéder lorsqu'un problème surgit ou lorsque vous voulez déposer une plainte. La liste des adresses de tous les organismes fédéraux, provinciaux, territoriaux ou privés qui apparaît en annexe a pour but de vous aider à tirer le meilleur parti possible de vos transactions en tant que consommateur canadien.

Remerciements

De nombreuses personnes nous ont aidés à mettre au point le texte de ce guide , mais nous voudrions remercier tout particulièrement William Tetley, Tom Delaney, Helen Anderson et les nombreux fonctionnaires qui nous ont prodigué renseignements et conseils.

NOTE. Les textes contenus dans la présente publication étaient à jour en décembre 1983. Les renseignements offerts ne remplacent pas les textes de loi et n'ont aucune valeur juridique. Il s'agit plutôt d'informations visant à aider les citoyens et citoyennes du Canada à mieux protéger leurs intérêts en tant que consommateurs de biens et services.

Chapitre I

La publicité trompeuse et les pratiques commerciales dolosives

La publicité fait maintenant partie du mode de vie canadien au même titre que le fait de travailler et de dépenser de l'argent. Nous l'acceptons tous, nous l'utilisons tous et avons pour la plupart pris l'habitude de nous y fier pour choisir les biens que nous voulons acheter et déterminer le moment propice à l'achat.

La publicité est un phénomène relativement récent. Les campagnes de publicité à fort déploiement comme on en voit couramment étaient pratiquement inexistantes au moment où nos grands-parents sont entrés sur le marché du travail. Parallèlement au développement de la publicité de masse, on a assisté à l'essor de la mise en marché de masse. S'inspirant de la croissance de ces deux tendances, certaines entreprises peu scrupuleuses n'ont pu résister à la tentation d'exploiter les consommateurs en ayant recours à la publicité trompeuse et aux pratiques commerciales dolosives. Par conséquent, les gouvernements fédéral et provinciaux et (dans le cas de la publicité) l'industrie elle-même, ont rapidement constaté qu'il fallait réglementer les pratiques commerciales en ces matières.

Il n'est pas nécessaire que la publicité soit délibérément trompeuse (au sens juridique du mot) pour vous inciter à faire un achat que vous pourriez regretter. Nous abordons donc la façon d'éviter la publicité trompeuse par l'étude de certaines techniques publicitaires fondamentales. Vous trouverez également des renseignements sur ce que vous devez faire si vous êtes aux prises avec un problème; toutefois, nous avons surtout essayé de vous donner une idée générale du genre de publicité trompeuse visée par les lois provinciales et fédérales.

“Soyez averti!”

Vous avez déjà entendu cette phrase, souvent reprise, et à juste titre, dans les chroniques de conseils aux consommateurs. C’est probablement l’avertissement le plus utile à retenir lorsque vous vous apprêtez à faire un achat.

Soyez averti de quoi?

Tout d’abord, nous sommes tous influençables à divers degrés; il faut nous méfier de nos réflexes. Beaucoup de messages publicitaires et pratiques commerciales ne sont pas vraiment illégaux, mais ils nous persuadent en s’adressant à notre sensibilité. Nous ne pouvons blâmer le publicitaire si nous succombons aux tentations que suggère ce genre de message. Si, par exemple, nous admirons une vedette de cinéma et que nous achetons le shampooing colorant dont elle fait la réclame, nous ne pouvons sérieusement prétendre que la publicité nous a fait croire que ce produit nous ferait ressembler à cette vedette.

Les techniques publicitaires courantes

En règle générale, il est utile de connaître certaines techniques publicitaires courantes. Il n’y a rien d’illégal ni de trompeur à ce que la réclame d’un produit alimentaire vous sollicite en évoquant le cadre intime et agréable des repas de famille chez grand-mère. Vous devriez cependant vous rendre compte que vous subissez l’influence d’une publicité romanesque et que vous devrez déployer des efforts inouïs pour recréer le décor et l’atmosphère du message publicitaire.

Voici quelques-unes des techniques de publicité fréquemment utilisées:

- recours à une vedette pour faire la publicité d’un produit;
- image sentimentale faisant naître une nostalgie que pourrait satisfaire le produit présenté;

- message qui vous donne l'impression d'obtenir un cadeau, comme une brosse à cheveux gratuite attachée à une bouteille de shampooing;
- création d'un marché en convainquant les consommateurs qu'un nouveau produit transformera leur vie (on utilise souvent ce genre de technique pour lancer les nouveaux appareils culinaires).

Sachez résister aux pressions

Vous devriez également vous garder des décisions précipitées lorsque vous achetez des biens ou des services. Cela s'applique particulièrement lorsque le vendeur essaie de conclure un marché en fixant un délai pour bénéficier d'un prix d'aubaine. Même si un objet est en solde "pour une semaine seulement", ce genre d'aubaine revient de façon intermittente. Si vous n'êtes pas vraiment certain que le bien ou le service satisfait parfaitement un besoin, prenez le temps de comparer des produits semblables; l'occasion se présentera sans doute de nouveau lorsque le marchand répétera ses soldes.

Les contrats

Évitez également de signer quelque entente ou contrat que ce soit avant d'en avoir lu attentivement chaque mot et ce, dans une ambiance propice à vérifier et évaluer exactement ce que vous obtenez et le prix que vous consentez à payer. La loi vous donne des recours contre les pertes résultant des dispositions trompeuses d'un contrat, mais il est beaucoup plus simple de prévoir les problèmes éventuels et de faire modifier le contrat avant de le signer.

Enfin, vous pouvez vous protéger contre la publicité trompeuse et les pratiques commerciales dolosives en vous renseignant sur les principales dispositions des lois fédérales et provinciales à cet égard. Ainsi, si vous déclarez à un vendeur ou au gérant d'un magasin que, en vertu des lois fédérales, il est illégal d'exiger le prix le plus élevé lorsqu'il y a deux prix sur un produit, vous obtiendrez sans doute le prix le plus avantageux, ainsi que des excuses, sans avoir à prendre d'autres mesures. La section juridique de ce chapitre résume les dispositions traitant des problèmes les plus courants.

La langue de rédaction au Québec

Au Québec, le consommateur a le droit d'être servi en français et d'exiger que tout contrat ou autre document se rattachant à une transaction donnée soit rédigé en français ou en français et dans une autre langue. Dans ce dernier cas, s'il y a divergence entre les deux textes, le consommateur peut bénéficier de l'interprétation qui lui est la plus favorable.

Comment obtenir de l'aide

Les problèmes engendrés par la publicité trompeuse

Si vous voulez vous plaindre d'une publicité trompeuse ou de pratiques commerciales dolosives, et tout particulièrement si vous estimez que l'on contrevient à une loi fédérale ou provinciale, veuillez communiquer avec le bureau régional de Consommation et Corporations Canada, ou avec le plus proche bureau de l'Office de la protection du consommateur du Québec. (Vous en trouverez les adresses dans l'annexe générale à la fin de ce guide.) Vous pouvez également communiquer avec le plus proche bureau du Conseil des normes de la publicité (les adresses apparaissent à la page 34).

Les embûches des pratiques commerciales dolosives

Terre-Neuve
Île-du-Prince-Édouard
Québec
Ontario
Alberta
Colombie-Britannique

Toutes ces provinces ont nommé un directeur chargé de faire observer les lois provinciales réglementant les pratiques commerciales dolosives. Dans certaines provinces, le directeur peut émettre ou demander une "injonction" à l'effet de faire cesser ces pratiques. Ce fonctionnaire peut également essayer de persuader un commerçant fautif de rembourser toute victime d'une pratique commerciale injuste. S'il n'y parvient pas, il peut alors demander aux tribunaux d'émettre une injonction. Au Québec, le président de l'Office de la protection du consommateur a des pouvoirs semblables.

EXEMPLE: ***En Colombie-Britannique, une compagnie de location de voitures facturait des frais de kilométrage aux clients âgés de moins de 25 ans bien que la publicité de cette compagnie déclarât qu'elle n'exigeait pas de tels frais. Dans ce cas, le directeur des pratiques commerciales a pu persuader la compagnie de rembourser les clients concernés et de corriger sa publicité.***

Terre-Neuve	**Alberta**
Québec	**Colombie-Britannique**

Dans ces provinces, le directeur peut également poursuivre le contrevenant au nom d'un consommateur ou d'un groupe de consommateurs, afin d'obtenir des dommages-intérêts supplémentaires; les commerçants coupables de publicité trompeuse peuvent être également contraints de publier des messages correctifs indiquant les inexactitudes.

EXEMPLE: ***Un distributeur de détecteurs de fumée avait annoncé que ses appareils étaient approuvés par l'Association canadienne des normes et par les Laboratoires des Assureurs du Canada et qu'ils étaient recommandés par certains services d'incendie, alors que c'était faux. Le juge saisi de l'affaire a ordonné à la compagnie de faire paraître une publicité corrective dans les journaux locaux.***

Les actions et les recours collectifs

Vous pouvez également intenter des poursuites judiciaires et obtenir éventuellement des "dommages punitifs". Vous pouvez donc récupérer plus d'argent que vous n'en avez effectivement perdu par suite d'une transaction.

EXEMPLE: ***En Colombie-Britannique, le directeur des pratiques commerciales a intenté une poursuite au nom d'un consommateur à qui on avait vendu une voiture usagée dont la marche arrière ne fonctionnait pas. Ce dernier a obtenu des dommages punitifs représentant le double du coût des réparations.***

Québec

La Loi sur la protection du consommateur permet également l'imposition de dommages punitifs.

Dans le cadre d'un recours collectif, une ou plusieurs personnes peuvent poursuivre au nom de tous les autres consommateurs identiquement lésés. Le Québec et la Colombie-Britannique permettent certains genres de recours collectifs. (On trouvera des renseignements plus détaillés sur les actions et les recours collectifs aux pages 212 à 217.)

La législation

La publicité trompeuse

Quelles sont les lois fédérales qui traitent de la publicité trompeuse?

La loi relative aux enquêtes sur les coalitions est la plus importante des lois fédérales en cette matière.

Elle s'applique tant aux biens qu'aux services et s'étend aux domaines suivants:

- la publicité trompeuse sur les prix;
- la quantité disponible des marchandises offertes en solde;
- la publicité trompeuse omettant de renseigner le consommateur sur ce qu'il devrait savoir avant d'acheter un bien;
- les concours publicitaires;
- l'utilisation d'attestations trompeuses ou fausses dans la réclame.

Quelles sont les dispositions de la loi au sujet de la publicité trompeuse sur les prix?

EXEMPLE: "0.50$ de rabais sur le prix habituel!"

Si une étiquette de ce genre reste sur un objet pendant une période prolongée, le prix "réduit" devient le prix normal; la publicité cesse donc d'être vraie.

EXEMPLE: "Deux pour le prix d'un!"

Si le prix normal de l'article a été doublé, dire qu'un second est gratuit constitue une publicité trompeuse.

Combien d'articles le magasin doit-il avoir en réserve lorsqu'il les vend en solde?

EXEMPLE: "6 litres de lessive à moitié prix!"

Si une épicerie offre pendant une semaine un produit en solde, elle doit être en mesure de démontrer qu'elle s'est efforcée d'en obtenir une quantité "raisonnable". C'est à l'établissement qu'il incombe de décider ce qui constitue une quantité "raisonnable" en fonction du nombre de soldes qu'il espère écouler. (Le magasin peut y parvenir en vérifiant le nombre d'articles vendus d'habitude au prix normal et en y ajoutant le nombre qu'il espère vendre par suite du rabais.)

Il peut arriver que le stock s'épuise avant que vous n'ayez pu vous rendre au magasin. Si le commerçant peut démontrer qu'il s'est efforcé d'obtenir une quantité raisonnable, mais que les ventes ont largement dépassé ses prévisions, il n'est pas coupable d'infraction à la loi.

Il peut également éviter des poursuites s'il substitue un autre article équivalent à prix d'aubaine ou s'il offre au rabais un bon échangeable ultérieurement contre l'article annoncé.

Dans la loi, que signifie l'expression "indications trompeuses"?

EXEMPLE: "Trois stylos gratuits!"

Ce genre de publicité peut se trouver sur l'emballage d'un produit tout à fait différent, une boîte de céréales par exemple. Lorsque vous ouvrez celle-ci, espérant y trouver les trois stylos, vous découvrez que vous devez envoyer deux couvercles de boîte à la compagnie pour recevoir ces stylos.

En vertu de la loi, il s'agit là d'"indications trompeuses". Pour être légale, la publicité faite sur l'emballage devrait indiquer clairement que vous devez envoyer deux couvercles de boîte pour obtenir les stylos.

Quelles sont les dispositions de la loi au sujet des concours publicitaires?

La loi prévoit à ce sujet des règles strictes, de façon à ce que vous ayez une juste idée de vos chances de gagner.

EXEMPLE: "15 chances de gagner 15 prix!"

Dans certains concours, les gagnants sont choisis par région. Si le choix est déjà fait dans votre région, mais que le concours s'y poursuit, il se pourrait que vous achetiez le produit sans être au fait de cette situation. Les promoteurs du concours doivent donc cesser toute publicité dans une région où tous les gagnants éventuels ont déjà été choisis, ou indiquer clairement ce fait.

En outre, la loi oblige les promoteurs du concours à fournir une liste de *tous* les gagnants à ceux qui en font la demande.

Au Québec, les concours publicitaires sont sous la juridiction de la Régie des loteries et courses du Québec qui veille à l'application des règles très précises édictées par la loi. En vertu de la loi les concours publicitaires doivent être autorisés, au préalable, par la Régie selon une procédure spéciale mise au point à cet effet.

La personne ou l'organisme qui tient un concours publicitaire doit se servir des formulaires prescrits pour en aviser la Régie et se conformer à toutes conditions prévues par elle.

Comment la loi me protège-t-elle contre les garanties et attestations trompeuses?

En vertu de la loi, le vendeur doit être en mesure de faire la preuve de toute prétention à l'égard de produits ou de services offerts.

EXEMPLE: ***Dans une affaire récente, le fabricant d'un adoucisseur de tissu a été condamné à payer une amende de 25 000 $ pour avoir fait de fausses déclarations dans un message publicitaire télévisé. Le juge a décidé que la compagnie n'avait pas fait les tests adéquats pour prouver que le produit était "trois fois plus efficace que ses concurrents".***

Quelles autres lois fédérales interdisent la publicité trompeuse?

Il y en a trois, entre autres, qui sont particulièrement importantes:

- *La Loi sur l'emballage et l'étiquetage des produits de consommation* interdit de faire de fausses déclarations sur les étiquettes ou les emballages. Ainsi, on ne peut indiquer sur une étiquette qu'une boîte contient 280 grammes d'un certain produit si elle n'en contient que 226.
- *La Loi sur l'étiquetage des textiles* interdit de faire des déclarations fausses, trompeuses ou frauduleuses dans la publicité des vêtements, tissus, draps, serviettes et autres articles textiles. On ne peut prétendre, par exemple, dans une réclame, qu'un manteau contient 80 p. 100 de duvet d'oie s'il n'en contient que 20 p. 100.
- *La Loi des aliments et drogues* interdit la publicité trompeuse au sujet des aliments ou des drogues. Ainsi, il serait illégal de prétendre qu'une margarine d'une marque donnée vous permettra à coup sûr de maigrir de 5 kilos en trois semaines.

Ces lois m'aideront-elles à obtenir un remboursement?

Si c'est une agence gouvernementale qui intente la poursuite, la réponse est non. Bien que la publicité trompeuse viole ces lois, les fonctionnaires fédéraux qui poursuivent les publicitaires ne peuvent généralement, même s'ils ont gain de cause, obtenir de remboursement ou le paiement de dommages-intérêts en faveur des consommateurs lésés.

Toutefois, la compagnie elle-même, pendant qu'elle fait l'objet d'une enquête ou d'une poursuite pour une publicité trompeuse, peut consentir à vous rembourser ou à vous verser un certain montant d'argent pour vous dédommager des inconvénients subis.

En outre, vous pouvez intenter des poursuites en vertu de la Loi relative aux enquêtes sur les coalitions. Si vous avez gain de cause, le tribunal peut vous accorder des frais et (ou) des dommages-intérêts. (On a récemment contesté la constitutionnalité de cette loi et l'affaire est toujours pendante devant les tribunaux.)

Existe-t-il des loi provinciales interdisant la publicité trompeuse?

Les provinces réglementent la publicité trompeuse par leurs lois contre les *pratiques commerciales dolosives*. À beaucoup d'égards, ces lois vous donnent une protection plus étendue que les lois fédérales.

Elles prévoient un certain nombre de pratiques réputées déloyales ou trompeuses: p. ex. prétendre que des biens sont disponibles pour une raison autre que la raison véritable ou annoncer que certains biens ont des qualités ou des caractéristiques qu'ils n'ont pas en réalité.

EXEMPLE: ***"Soldes d'incendie!" ou "Soldes de fermeture!"***

Si le commerçant offre des biens en solde non à *cause* d'un incendie, mais parce qu'il a pu se les procurer à un prix très avantageux, ou encore sans aucune intention de mettre fin à ses affaires, ces messages publicitaires enfreignent les lois provinciales.

EXEMPLE: ***"Faites plus de kilomètres avec votre nouvel additif d'essence!"***

À moins que l'additif n'augmente effectivement le nombre de kilomètres au litre que parcourt votre voiture, cette publicité n'est pas permise en vertu des lois provinciales.

Québec

Le Code civil et la Loi sur la protection du consommateur contiennent des dispositions traitant spécifiquement de la publicité trompeuse.

Ainsi, les messages publicitaires doivent toujours identifier le commerçant en sa qualité de commerçant et mentionner, s'il y a lieu, la quantité limitée du produit annoncé. La publicité ne doit pas invoquer une information ou un témoignage favorable hors d'un contexte dont la portée générale peut être défavorable (exemple, la critique d'un film), mettre l'accent sur le prix d'un élément d'un ensemble aux dépens du prix de tout l'ensemble (exemple, annoncer avec beaucoup d'emphase une table de mobilier de salle à manger à 500$ alors que le prix du mobilier complet est de 1500$), ne mentionner que les versements périodiques sans indiquer le coût total d'un article et la durée des paiements, faire état de fausses réductions de prix, accentuer la valeur ou la qualité de primes accompagnant le produit aux dépens de celles du produit lui-même.

Il existe d'autres situations où la publicité peut enfreindre la Loi sur la protection du consommateur. Dans le doute, consulter le bureau le plus proche de l'Office de la protection du consommateur.

Outre ces lois fédérales et provinciales, ai-je d'autres recours juridiques contre la publicité trompeuse et les pratiques commerciales dolosives?

Oui, vous bénéficiez d'une certaine protection supplémentaire en vertu des règles normales du droit des contrats. Ainsi, vous pouvez poursuivre un magasin ou un fabricant si vous avez encouru une perte à la suite d'une publicité trompeuse. Les avantages prônés dans la réclame peuvent également faire partie d'un contrat (voir à la page 53.) Si vous pouvez prouver que la publicité était erronée, vous pourrez intenter une poursuite pour violation de contrat; en certains cas, vous pouvez également faire annuler le contrat ou vous faire rembourser tout versement déjà fait; il se pourrait même que vous obteniez un montant supplémentaire à titre de dommages-intérêts.

EXEMPLE: ***Une agence de voyages avait publié une brochure faisant miroiter des vacances en Suisse: "Vous y passerez des vacances merveilleuses". La brochure décrivait l'hôtel, les repas et les pentes de ski en termes élogieux.***

Un certain monsieur J. avait fait des réservations et s'était rendu en Suisse pour y passer ses vacances, mais la qualité de l'accueil et du service ne correspondait pas du tout à ce que la brochure lui avait laissé entendre. À son retour, M. J. intenta une poursuite contre l'agence de voyages et obtint des dommages et intérêts équivalant à deux fois le coût de ses vacances. Les dommages accordés comprenaient un montant pour la frustration et la déception encourues, puisque le résultat ne correspondait pas à ses attentes.

EXEMPLE: Un autre voyageur intenta une poursuite contre les promoteurs et les grossistes offrant un certain genre de vacances, parce qu'on ne lui avait pas procuré le logement promis. Étant donné qu'il n'était pas possible de faire la cuisine dans les chambres qu'on lui avaient données à la place de celles qu'il avait réservées, M.K., sa famille et leur bonne (qu'il avait amenée pour faire la cuisine) avaient été contraints de prendre leurs repas au restaurant durant toutes les vacances. M.K. a eu gain de cause; non seulement a-t-il récupéré les montants déboursés pour les repas et les coûts du transport et de la chambre de la bonne, mais il a également obtenu un montant additionnel de 800$ pour les dommages moraux entraînés par la promesse non respectée.

La déontologie publicitaire volontaire

L'autocensure de l'industrie publicitaire

Les Conseils des normes de la publicité (*Advertising Standards Councils*), qui groupent des représentants des publicitaires, de leurs clients, des media et des consommateurs, ont adopté des codes de déontologie incitant leurs membres à ne pas faire de publicité fausse ou trompeuse. Il existe quatre de ces codes:

- un code interdisant aux annonceurs de publier des messages trompeurs;
- un code régissant la publicité des médicaments vendus sans ordonnance;
- un code établissant des normes de publicité pour les produits hygiéniques féminins;
- un code régissant la publicité destinée aux enfants.

Au Québec la Loi de la protection du consommateur rend illégale la publicité commerciale destinée aux personnes de moins de 13 ans, sous réserve des exceptions et des prescriptions prévues par le Règlement d'application de la dite loi.

Ces codes ont-ils quelque valeur juridique?

Les trois premiers de ces codes sont purement volontaires. Toutefois, les postes de radio et de télévision sont tenus de respecter le code relatif à la publicité s'adressant aux enfants. Celui-ci condamne la tromperie; il interdit d'inciter indûment les enfants à presser leurs parents de leur acheter certains articles; il restreint en outre le temps d'antenne que le poste peut accorder à la publicité destinée aux enfants. Les postes de radio et de télévision qui ne respectent pas ce code peuvent se voir retirer leur permis d'exploitation.

Bien que la plupart des codes n'aient aucune force juridique, les publicitaires et les media coopèrent généralement avec les Conseils et retirent rapidement une réclame qui contrevient à l'un de ces codes.

Vous pouvez demander un exemplaire des codes au bureau de Toronto ou de Montréal du Conseil des normes de la publicité. Vous pouvez également déposer une plainte au bureau le plus rapproché de votre résidence. (La liste des adresses se trouve à la page 34.)

Les pratiques commerciales dolosives

Quelles sont les lois qui traitent des pratiques commerciales frauduleuses ou dolosives?

Les gouvernements fédéral et provinciaux ont adopté des lois interdisant les pratiques commerciales frauduleuses ou dolosives. Le gouvernement fédéral interdit certaines de ces pratiques en vertu de la Loi relative aux enquêtes sur les coalitions. Généralement, les provinces traitent de ces questions en réglementant certaines activités et en obligeant ceux qui les exercent à détenir un permis.

Quelles sont les pratiques dolosives visées par la Loi relative aux enquêtes sur les coalitions?

Cette loi interdit la vente par recommandation (à moins que la province où la vente a lieu ne la permette) ainsi que la "vente à prix d'appel".

> ***EXEMPLE: "Téléviseurs de 16 pouces—425$ seulement."***

Il se pourrait fort bien que cette publicité vous attire vers le magasin, mais que vous n'y trouviez pas de téléviseurs à ce prix ou, s'il y en a, que les vendeurs ne vous soulignent que les défauts de ces appareils, espérant ainsi vous amener à en acheter un plus coûteux. Ce genre de pratique est illégal.

Quelles sont les pratiques frauduleuses ou dolosives visées par les lois provinciales et territoriales?

Les provinces ont adopté des lois dans les domaines suivants:

- la vente itinérante;
- la vente par recommandation;
- les biens non sollicités;
- les déclarations et pratiques trompeuses et abusives.

La législation sur la vente itinérante est-elle uniforme partout au Canada?

Chaque province ou territoire vous accorde un délai précis pour annuler, *pour quelque raison que ce soit*, un contrat conclu avec un vendeur itinérant. Ce délai est dit "période de réflexion". Dans la plupart des cas, vous devez envoyer un avis écrit de votre intention d'annuler le contrat; vous pouvez livrer l'avis personnellement au vendeur ou l'envoyer par courrier normal ou recommandé.

Dans certaines provinces, la loi prévoit une période de réflexion plus longue si les biens ou les services ne sont pas fournis dans un délai précis après que le contrat a été conclu. (Ce genre de disposition s'est révélé utile pour les consommateurs qui regrettaient les ententes conclues avec les entrepreneurs en isolation ou en revêtement d'aluminium.)

Les périodes de réflexion peuvent varier selon les provinces. Le tableau suivant résume les différences à cet égard:

LA PÉRIODE DE RÉFLEXION

Province ou territoire	**Nombre de jours**	**Comment annuler le contrat**
Terre-Neuve	10	Livrer l'avis personnellement ou l'envoyer par courrier recommandé.
Nouvelle-Écosse	10	Livrer l'avis personnellement ou l'envoyer par courrier recommandé.
Nouveau-Brunswick	5	Livrer l'avis personnellement ou l'envoyer par courrier recommandé.
Île-du-Prince-Édouard	7	Livrer l'avis personnellement ou l'envoyer par courrier recommandé.

Québec	10	Retourner les biens ou envoyer un avis écrit.
Ontario	2	Livrer l'avis personnellement ou l'envoyer par courrier recommandé.
Manitoba	4	Livrer l'avis personnellement ou l'envoyer par courrier recommandé.
Saskatchewan	4	Envoyer un avis par courrier recommandé ou par télégramme.
Alberta	4	Envoyer un avis par courrier recommandé (recommander l'envoi n'est pas obligatoire mais préférable).
Colombie-Britannique	7	Courrier recommandé de préférence.
Territoires du Nord-Ouest	4	Livrer l'avis personnellement ou l'envoyer par courrier recommandé.
Yukon	7	Livrer l'avis personnellement ou l'envoyer par courrier recommandé.

Un vendeur itinérant est celui qui vous sollicite *ailleurs* que dans son établissement commercial, dans le but de vous vendre un article ou de vous faire signer un contrat. Il doit obligatoirement être muni d'un permis émis par l'Office de la protection du consommateur. À noter que ce permis ne garantit pas la qualité du produit. Si l'acheteur désire annuler la transaction dans le délai de 10 jours suivant la date de la signature du contrat, il doit remettre la marchandise au vendeur, l'aviser par courrier recommandé, ou lui retourner la formule d'annulation qui doit obligatoirement être jointe au contrat.

Quelles sont les dispositions des lois provinciales au sujet de la vente par recommandation?

Dans une vente par recommandation, le vendeur vous promet une commission ou un rabais sur le prix d'un article si vous lui recommandez des acheteurs éventuels. Ce genre de vente entraîne rapidement une saturation du marché et les acheteurs paient finalement le plein prix (souvent un prix majoré).

Nouvelle-Écosse **Ontario**
Québec **Manitoba**

La vente par recommandation est illégale dans ces provinces.

Les provinces ont-elles adopté des lois relatives aux biens non sollicités?

Une seule province a interdit cette pratique, mais plusieurs autres ont adopté des lois qui vous permettent de garder des biens non sollicités sans avoir à les payer.

Île-du-Prince-Édouard

Il est illégal d'y envoyer des biens non sollicités.

Ontario **Nouvelle-Écosse**

Vous n'êtes pas tenu de payer des biens non sollicités, même si vous les utilisez.

Québec

On ne peut exiger le paiement de biens non expressément commandés.

Saskatchewan **Colombie-Britannique**

Vous n'êtes pas tenu de payer des biens non sollicités à moins que vous n'en ayez accusé réception par écrit.

Qu'entend-on par "déclarations trompeuses" et "pratiques abusives"?

EXEMPLE: ***Un commerçant qui déclare vendre des biens de première qualité ou de catégorie A (dans le cas du bois de charpente ou des légumes), mais qui vend en fait des biens de troisième qualité ou de catégorie C, se rend coupable d'une*** **déclaration trompeuse.**

Un détaillant qui vend des biens et des services à des prix beaucoup plus élevés que les autres détaillants (pour des biens ou des services semblables) se rend coupable d'une **pratique abusive.**

Terre-Neuve	**Ontario**
Île-du-Prince-Édouard	**Alberta**
Québec	**Colombie-Britannique**

Ces provinces appliquent des lois précises sur les pratiques commerciales déloyales.

D'autres provinces sont à élaborer des lois semblables.

Annexe

A. Publicité trompeuse

1. Législation faisant de la publicité trompeuse une infraction pénale

Lois fédérales	Loi relative aux enquêtes sur les coalitions Loi des aliments et drogues Loi sur l'emballage et l'étiquetage des produits de consommation Loi sur l'étiquetage des textiles

2. Législation prévoyant des recours civils

Loi fédérale	Loi relative aux enquêtes sur les coalitions, a. 31.1

Provinces et territoires

Terre-Neuve	Unfair and Unconscionable Trade Practices Act, a. 14
Nouvelle-Écosse	*

---

* Aucune législation particulière. Cependant, les consommateurs résidant dans ces provinces et territoires peuvent intenter une action en l'absence de dispositions particulières, puisqu'ils ont des recours en vertu des règles normales des contrats, comme il est expliqué aux pages 23 à 25.

Nouveau-Brunswick	Loi sur la responsabilité et les garanties des produits de consommation, a. 4, 15 (Les déclarations du vendeur au sujet des produits sont présumées faire partie du contrat.)
Île-du-Prince-Édouard	Business Practices Act, a. 5
Québec	Loi sur la protection du consommateur, a. 272 (La garantie mentionnée dans la publicité fait partie du contrat.)
Ontario	Business Practices Act, a. 4
Manitoba	Loi sur la protection du consommateur, a. 58 (Les déclarations du détaillant sur la qualité, l'état des biens, etc., sont présumées faire partie du contrat.)
Saskatchewan	Consumer Products Warranties Act, a. 8, 20 (Les déclarations du détaillant ou du fabricant sur la qualité, l'état des biens, etc., sont présumées faire partie du contrat.)
Alberta	Unfair Trade Practices Act, a. 11
Colombie-Britannique	Trade Practice Act, a. 22

Territoires du Nord-Ouest	*
Yukon	*

Bureaux des Conseils des normes de la publicité

Provinces atlantiques	Advertising Standards Council C.P. 394, Succursale M Halifax (Nouvelle-Écosse) B3J 2P8
Québec	Le Conseil des normes de la publicité 10, rue Notre-Dame est Montréal (Québec) H2Y 1B6 Tél.: (514) 861-5188
Ontario	Advertising Standards Council 1240, rue Bay, Suite 302 Toronto (Ontario) M5R 2A7 Tél.: (416) 961-6311

---

* Aucune législation particulière. Cependant, les consommateurs résidant dans ces provinces et territoires peuvent intenter une action en l'absence de dispositions particulières, puisqu'ils ont des recours en vertu des règles normales des contrats, comme il est expliqué aux pages 23 à 25.

Manitoba	Advertising Standards Council C.P. 1001 Winnipeg (Manitoba) R3D 2W3
Saskatchewan	Advertising Standards Council C.P.1322 Regina (Saskatchewan) S4P 3B8
Alberta	Alberta Advertising Standards Council C.P. 6630, Succursale D Calgary (Alberta) T2P 2E4
	Alberta Advertising Standards Council C.P. 9009, Succursale E Edmonton (Alberta) T5P 4K1
Colombie-Britannique	Advertising Standards Council C.P. 3005 Vancouver (Colombie-Britannique) V6B 3X5

B. Pratiques commerciales dolosives

1. Législation
   a) Législation réglementant la vente itinérante (voir également aux pages 28 et 29 les détails sur les

périodes de réflexion et la façon d'annuler les contrats)

Provinces et territoires

Terre-Neuve	Direct Sellers Act, a. 23
Nouvelle-Écosse	Direct Sellers' Licensing and Regulation Act, par. 20(g)
Nouveau-Brunswick	Loi sur le démarchage, a. 17
Île-du-Prince-Édouard	Direct Sellers Act, a. 10
Québec	Loi sur la protection du consommateur, a. 55-65
Ontario	Consumer Protection Act, a. 33
Manitoba	Loi sur la protection du consommateur, a. 61
Saskatchewan	Direct Sellers Act, a. 22
Alberta	Direct Sales Cancellation Act, a. 6
Colombie-Britannique	Consumer Protection Act, a. 13
Territoires du Nord-Ouest	Consumer Protection Ordinance, a. 61
Yukon	Consumer Protection Ordinance, a. 62

b) Législation réglementant la vente par recommandation

Lois fédérales	Code criminel, al. 189(1)(e) Loi relative aux enquêtes sur les coalitions, a. 36.4
Provinces et territoires	
Terre-Neuve	Direct Sellers Act, a. 24 (Le contrat ne lie pas le consommateur s'il est conclu avec un vendeur itinérant.)
Nouvelle-Écosse	Direct Sellers' Licensing and Regulation Act, par. 24(2) (Interdit les ventes par recommandation.) Consumer Protection Act, par. 20D(1) (Le contrat ne lie pas le consommateur.)
Nouveau-Brunswick	*
Île-du-Prince-Édouard	*
Québec	Loi sur la protection du consommateur, a. 235 (Interdit les ventes par recommandation.)
Ontario	Consumer Protection Act, par. 46a (La vente par recommandation est interdite et le contrat ne lie pas le consommateur.)

* Aucune législation particulière

Manitoba	Loi sur la protection du consommateur, par. 60(2) (Interdit les ventes par recommandation.)
Saskatchewan	Direct Sellers Act, a. 6 (Les vendeurs itinérants n'ont pas le droit de faire de la vente par recommandation.)
Alberta	Direct Sales Cancellation Act, par. 5(1) (Le contrat est nul.)
Colombie-Britannique	Consumer Protection Act (1967), a. 4 (Le contrat ne lie pas l'acheteur.)
Territoires du Nord-Ouest	*
Yukon	*

c) Législation relative aux biens non sollicités

Provinces et territoires

Terre-Neuve	Unsolicited Goods and Credit Cards Act, a. 4 (Le consommateur n'est pas tenu de payer même s'il utilise les biens.)
Nouvelle-Écosse	Consumer Protection Act, par. 20A(4) (Le consommateur n'est pas tenu de payer même s'il utilise les biens.)

---

* Aucune législation particulière

Nouveau-Brunswick	*
Île-du-Prince-Édouard	Consumer Protection Act, a. 19 (Interdiction d'envoyer des biens non sollicités.)
Québec	Loi sur la protection du consommateur, par. 230(a). (L'expéditeur ne peut facturer les biens expédiés si le consommateur ne les a pas expressément commandés.)
Ontario	Consumer Protection Act, par. 46(3) (Le consommateur n'est pas tenu de payer même s'il utilise les biens.)
Manitoba	*
Saskatchawan	Unsolicited Goods and Credit Cards Act, a. 3 (Le consommateur n'est pas tenu de payer à moins qu'il n'accuse réception des biens par écrit.)
Alberta	*
Colombie-Britannique	Consumer Protection Act (1967), a. 16 (Le consommateur n'est pas tenu de payer à moins qu'il n'accuse réception des biens par écrit.)

---

* Aucune législation particulière

Territoires du Nord-Ouest	*
Yukon	*

2. Législation sur les pratiques commerciales dolosives

Loi fédérale	Loi relative aux enquêtes sur les coalitions, a. 32.2, 34-38

Provinces et territoires

Terre-Neuve	Unfair and Unconscionable Trade Practices Act
Nouvelle-Écosse	*
Nouveau-Brunswick	*
Île-du-Prince-Édouard	Business Practices Act
Québec	Loi sur la protection du consommateur
Ontario	Business Practices Act
Manitoba	Trade Practices Inquiry Act (Autorise tout groupe de quatre personnes âgées de 18 ans ou plus et résidant au Manitoba à déposer une plainte écrite auprès du Ministre au sujet de pratiques dolosives.)
Saskatchewan	*

---

* Aucune législation particulière

Alberta	Unfair Trade Practices Act
Colombie-Britannique	Trade Practice Act
Territoires du Nord-Ouest	*
Yukon	*

* Aucune législation particulière.

Chapitre II

Les biens défectueux et les services inadéquats

La plupart des consommateurs découvrent, un jour ou l'autre, à leur grande consternation, qu'ils ont acheté et payé des biens et des services de qualité douteuse. Dans ce chapitre, nous passons brièvement en revue les mesures que vous pouvez prendre pour tâcher d'éviter ce genre de situation. En outre, nous vous y indiquons ce qu'il faut faire si vous êtes insatisfait d'un produit ou d'un service. Nous discutons également de la législation relative aux contrats de vente et de celle concernant les privilèges.

La consommation préventive

Avant de faire un achat quelconque, essayez d'en savoir le plus possible sur le bien ou le service que vous recherchez. Consultez vos amis et vos voisins au sujet de la réputation du vendeur et vérifiez auprès du Bureau d'étique commerciale local si le vendeur a déjà fait l'objet de plaintes.

L'achat de biens neufs

Si vous achetez des biens neufs, lisez les résultats des tests qui figurent périodiquement dans *Le Consommateur canadien*, revue publiée par l'Association des consommateurs du Canada. Une autre publication qui renseigne le consommateur, c'est le bulletin *Protégez-vous* de l'Office de la protection du consommateur du Québec. Vérifiez ensuite les renseignements contenus dans les *Consumer Reports* et l'*Annual Buying Guide*, tous deux publiés par la Consumers'Union des États-Unis. La plupart des produits dont ces magazines font état sont disponibles au Canada; s'ils ne le sont pas, ou si les tests sont périmés, les renseignements peuvent quand même vous être utiles puisqu'ils vous donnent une idée des aspects importants à examiner avant d'acheter un certain produit. La Consumers' Union publie également une liste des points forts et des points faibles d'un certain nombre de voitures de marques et de modèles divers ainsi que des réparations les plus fréquemment requises. Cet organisme publie aussi des données sur la valeur relative de certains services comme l'assurance.

L'achat de biens usagés

Soyez pariculièrement prudent si vous achetez un bien usagé puisque la garantie ne s'applique pas toujours à ce type de biens. Si vous faites un achat important, comme celui d'une voiture d'occasion, auprès d'un particulier plutôt que d'un détaillant, prenez la peine de vérifier auprès du bureau d'enregistrement local si le vendeur possède tous les droits sur ce bien (en d'autres mots, assurez-vous que ce bien n'est pas grevé d'une hypothèque ou d'un nantissement). À ce sujet, les bureaux provinciaux de protection du consommateur peuvent vous indiquer les démarches que vous devrez entreprendre. (On trouve leurs adresses dans l'annexe générale à la fin de ce guide.)

Québec

Il n'existe pas de nantissement mobilier dans cette province, ni de registre des biens mobiliers.

Les voitures d'occasion: quelques conseils particuliers

Si vous achetez une voiture d'occasion chez un concessionnaire, il est utile de demander le nom, l'adresse et le numéro de téléphone du propriétaire précédent afin de pouvoir vérifier l'historique du véhicule.

Terre-Neuve

En vertu de l'*Automobile Dealers Act*, le concessionnaire, à la demande du consommateur, doit donner les nom et adresse du propriétaire précédent.

En vertu de la loi sur la protection du consommateur, le commerçant doit apposer, bien en vue, sur le véhicule, une étiquette où sont inscrits le prix, le kilométrage effectivement parcouru par le véhicule, l'année de fabrication, le numéro de série, la marque, le modèle et la cylindrée du moteur. Le commerçant doit aussi indiquer, s'il y a lieu, l'utilisation antérieure du véhicule, toute réparation effectuée depuis qu'il en est propriétaire et, à la demande de l'acheteur, l'identité et le numéro de téléphone du propriétaire précédent. L'étiquette doit aussi mentionner la forme de garantie dont le véhicule est l'objet selon sa catégorie:

- catégorie A — six mois ou 10 000 kilomètres
- catégorie B — trois mois ou 5000 kilomètres
- catégorie C — un mois ou 1700 kilomètres

Tous les renseignements inscrits sur l'étiquette font partie intégrante du contrat. L'étiquette doit d'ailleurs être annexée au contrat.

Québec

Les autres provinces n'ont pas adopté de loi obligeant les concessionnaires à donner ces renseignements mais, s'ils ne le font pas, soyez sur vos gardes; il y a lieu également de vous méfier des voitures d'occasion récemment peintes: la peinture recouvre souvent une carrosserie fatiguée.

Vous seriez bien avisé de faire vérifier le véhicule par un mécanicien indépendant; si le concessionnaire ne vous le permet pas, soyez encore plus prudent. Ne vous laissez surtout pas impressionner par les garanties ronflantes du concessionnaire: bien souvent, elles ne valent pas le papier sur lequel elles sont écrites.

Les services

Les consommateurs de services sont moins protégés que ceux qui achètent des biens (voir page 59). Il peut être fastidieux de comparer les services offerts par des firmes concurrentes, mais, au bout du compte, cela peut se révéler fort avantageux.

Commencez par communiquer avec votre Bureau d'éthique commerciale local pour savoir si l'une des firmes a déjà fait l'objet de plaintes; demandez bien si la plainte a été réglée à la satisfaction du client.

Lorsque vous passez un contrat pour des services importants, demandez à au moins trois entreprises une estimation de tous les frais éventuels. Assurez-vous que tous les "suppléments" s'y trouvent. Vérifiez, par exemple, si un contrat de nettoyage de tapis comprend les escaliers ou l'application d'un antitache en aérosol. S'il s'agit d'une entrée à asphalter ou de meubles à déménager, vous feriez bien d'insister sur l'inscription de certaines garanties, comme la date d'exécution du travail ou la qualité des matériaux qui seront utilisés. Si vous n'êtes pas satisfait, vous pourrez alors fonder votre plainte sur quelque chose de concret.

Enfin, demandez à vos amis s'ils ont déjà traité avec les entreprises que vous considérez; s'ils ne les connaissent pas, demandez aux entreprises elles-mêmes de vous fournir le nom de clients récents et menez votre petite enquête.

Les produits défectueux

Retournez promptement au vendeur toute marchandise défectueuse

Si un produit est défectueux, il est important de le retourner promptement pour conserver votre droit à un remboursement ou à des dommages et intérêts éventuels. Généralement, vous perdrez ce droit si vous tardez trop à formuler une plainte ou si vous acceptez des biens que vous savez défectueux. Une fois ce droit perdu, vous n'avez d'autre recours que d'intenter des poursuites en dommages et intérêts.

EXEMPLE: Mme B. avait acheté un nouveau grille-pain électrique. Lorsqu'elle l'a déballé, elle a

constaté que le grille-pain fonctionnait mal, mais elle a attendu plus de trois mois avant d'en aviser le vendeur, qui a refusé de la rembourser en raison du temps écoulé. Il ne restait plus à Mme B. qu'à poursuivre le vendeur en dommages et intérêts; toutefois, le montant étant minime, elle a décidé de ne pas intenter de poursuite et elle a perdu le prix d'achat de l'appareil.

Les produits dangereux

La protection accordée en vertu des législations provinciales et territoriales

Il existe à peu près partout au pays des lois qui assurent les consommateurs que les aliments qu'ils consomment, tels que pain, viande, margarine, poisson et produits agricoles, sont propres et sains. Si vous entretenez quelques doutes à l'égard de l'un de ces produits, votre bureau de protection du consommateur peut vous indiquer le ministère ou le bureau chargé d'appliquer la loi.

La protection accordée en vertu de la législation fédérale

Les lois fédérales réglementent la fabrication et la mise en marché des produits alimentaires, médicaments, cosmétiques, automobiles et autres produits qu'il est primordial de pouvoir consommer, appliquer ou utiliser en toute sûreté. Cette législation est contenue dans la *Loi des aliments et drogues*, la *Loi sur la sécurité des véhicules automobiles* et la *Loi sur les produits dangereux*. Si certains produits alimentaires, médicaments ou cosmétiques vous inspirent quelque inquiétude, adressez-vous à la Direction de la protection de la santé, de Santé et Bien-être Canada. S'il s'agit plutôt d'un véhicule moteur, c'est à Transports Canada qu'il faut recourir. Pour la sûreté des autres produits, c'est avec Consommation et Corporations Canada que vous devez communiquer. (Vous trouverez les adresses de tous ces ministères à partir de la page 218.)

Les services inadéquats

Les législations provinciales

Certains services, comme ceux que fournissent les agences de voyages et les bureaux d'assurance, sont réglementés par les gouvernements provinciaux, qui les obligent généralement à détenir un permis provincial ou municipal. Dans la même catégorie, on retrouve le transport par taxi, les salons de massage et la réparation des automobiles. Une plainte déposée auprès du bureau des permis amène souvent des résultats.

Saskatchewan

Les établissements de formation, y compris ceux qui offrent des cours par correspondance et des leçons de danse ainsi que les studios de santé, doivent détenir un permis.

Les législations fédérale et provinciales

Outre les mesures ci-dessus, les gouvernements fédéral et provinciaux ont adopté des lois interdisant les pratiques commerciales dolosives. Si les vendeurs ne fournissent pas les services promis ou ne respectent pas leurs engagements, vous pouvez les poursuivre en vertu de ces lois. (Vous trouverez plus de renseignements à cet égard à partir de la page 27.)

La réglementation des professions libérales

En ce qui concerne les professions libérales (médecine, droit, art dentaire, architecture, génie et autres), les lois provinciales ont créé des organismes de contrôle administrés respectivement par chacune de ces professions. Ceux-ci, qui forment autant de corporations (le Barreau, les *Law Societies*, le Collège des médecins, le Collège des dentistes, etc.), interdisent généralement à leurs membres de faire de la publicité ou leur imposent du moins certaines restrictions. Ils réglementent également l'admission à la pratique de la profession et fixent parfois les honoraires exigibles. Ces corporations ont le pouvoir d'étudier les plaintes et c'est à leur comité disciplinaire que vous devez rapporter toute irrégularité professionnelle qui vous aurait lésé.

Si vous avez à vous plaindre des honoraires d'un avocat, vous pouvez vous adresser au Barreau, ou à un membre du tribunal qui a le pouvoir de les réviser s'il les juge excessifs.

Québec — Les corporations professionnelles

Les corporations professionnelles, au nombre de 39, doivent appliquer le Code des professions et assurer la protection des citoyens qui ont recours à leurs services, sous la surveillance de l'Office des professions du Québec. Les corporations n'accordent le permis d'exercer une profession qu'aux personnes qui ont les qualifications requises et qui font preuve de compétence et d'intégrité.

Plaintes et contestations

La loi accorde au citoyen certains droits dont le droit au secret professionnel, le droit de vérifier le statut des membres de la profession, celui de connaître le contenu de son dossier ou de contester le montant des honoraires demandés. Il existe une procédure de contestation dont on peut obtenir les modalités en s'adressant à l'Office des professions du Québec.

— 930, chemin Sainte-Foy
Bureau 780
Québec (Québec)
G1S 2L4
(418) 643-6912

— 276, rue Saint-Jacques ouest
Bureau 728
Montréal (Québec)
H2Y 1N3
(514) 873-4057

Corporations professionnelles

Administrateurs agréés
Agronomes
Architectes
Arpenteurs-géomètres
Audioprothésistes
Avocats
Chimistes
Chiropraticiens
Comptables en administration industrielle
Comptables agréés
Comptables généraux licenciés
Conseillers d'orientation
Conseillers en relations industrielles
Dentistes
Denturologistes
Diététistes
Ergothérapeutes
Évaluateurs agréés
Hygiénistes dentaires
Infirmières et infirmiers
Infirmières et infirmiers auxiliaires
Ingénieurs
Ingénieurs forestiers
Médecins
Médecins vétérinaires
Notaires
Opticiens d'ordonnances
Optométristes
Orthophonistes et audiologistes
Pharmaciens
Physiothérapeutes
Podiatres
Psychologues
Techniciens dentaires
Techniciens en radiologie
Technologistes médicaux
Technologues des sciences appliquées
Travailleurs sociaux
Urbanistes

Les bureaux provinciaux ou territoriaux de protection du consommateur peuvent vous fournir les nom et adresse des corporations. (Voyez aux pages 222 à 232 l'adresse du bureau le plus rapproché.)

La législation

Les biens défectueux

Si vous constatez que vous avez acheté un article défectueux, sachez que chaque province a adopté des lois qui vous protègent. Ce sont les Lois sur la vente des biens (Sale of Goods Acts), qui sont presque identiques partout au Canada. Au Nouveau-Brunswick et en Saskatchewan, des lois spécifiques sur la garantie des biens de consommation donnent au consommateur une protection supplémentaire. Au Québec, on trouve des dispositions semblables aux articles 1508 à 1531 du Code civil ainsi que dans la Loi sur la protection du consommateur.

Tout achat — même celui d'un litre de lait chez le dépanneur — donne lieu à un contrat. Un contrat intervient généralement, au sens juridique, qu'un document l'atteste ou non, lorsque deux personnes échangent, ou conviennent d'échanger, deux choses possédant une certaine valeur (par exemple, de l'argent pour des biens).

Un contrat peut contenir des conditions expresses ou tacites. Les *conditions expresses* sont celles dont les parties ont convenu par écrit; elles sont généralement exprimées dans le contrat. Par ailleurs, certaines ententes sont seulement verbales. En fait, sauf pour les transactions immobilières, une entente lie juridiquement les parties, même si aucun acte formel ou document écrit ne l'atteste. Toutefois, puisqu'il est souvent difficile de prouver l'existence de conditions verbales, il est de beaucoup préférable de les consigner dans un document.

Québec

La Loi sur la protection du consommateur exige qu'un contrat écrit atteste la vente des automobiles et des motos usagées, ainsi que de certains services et accessoires de même que des produits offerts par les marchands itinérants.

Certaines conditions supplémentaires, qui ne font pas l'objet d'un texte, s'appliquent néanmoins aux contrats de vente. Ce sont les *conditions tacites* que mentionnent les lois sur la vente des biens, les *Sale of Goods Acts* et les lois sur la garantie des biens de consommation, adoptées par les provinces. En général, ces conditions concernent les *titres de propriété* ou la *garantie de qualité.*

En vertu des lois, quelles conditions tacites affectent les titres de propriété?

Lorsque vous concluez un contrat,

1. il contient la condition tacite que le vendeur a le droit de vendre ses biens;
2. il contient la garantie tacite que les biens sont libres de tout nantissement ou hypothèque consentis à une tierce partie et qu'on vous aurait cachés lors de la passation du contrat.

En vertu des lois, quelles conditions tacites concernent la qualité des biens faisant l'objet d'un contrat?

Lorsque vous concluez un contrat,

1. il contient comme condition tacite que les biens correspondent à la description ou à l'échantillon si c'est là l'instrument de la vente;
2. il contient comme condition tacite que les biens pourront raisonnablement satisfaire vos besoins, si vous faites connaître ces derniers au vendeur et que vous vous fiez à son expérience ou à son jugement (cette règle ne s'applique que si les biens sont achetés chez un commerçant; elle n'existe pas si la vente s'effectue entre particuliers);
3. il contient comme condition tacite que les biens sont de qualité marchande si vous les achetez d'un commerçant qui vend couramment cette sorte de marchandise. Cela signifie que la qualité des biens acquis doit

être telle que, si vous aviez eu l'occasion de les examiner et que vous aviez alors découvert un vice caché, vous les auriez tout de même achetés à un prix sensiblement équivalent.

Vous avez sans doute remarqué que les particularités énoncées sont soit des conditions, soit des garanties. Une *condition* est une disposition essentielle à un contrat tandis qu'une *garantie* est moins importante. Si vous avez acheté un produit défectueux, votre recours diffère selon que le défaut relève d'une condition ou d'une garantie.

Québec

La législation québécoise ne fait aucune distinction entre condition et garantie.

Que se passe-t-il si le vendeur ne respecte pas une condition du contrat?

Si cela se produit, vous pouvez annuler le contrat, retourner les biens au vendeur, obtenir un remboursement et exiger un dédommagement pour les inconvénients subis.

EXEMPLE: ***Si une voiture tombe en panne après l'achat et que tout le moteur doive être remplacé, il est plus que probable que le vendeur n'a pas respecté une condition du contrat. Dans ce cas, l'acheteur peut faire annuler le contrat, obtenir le remboursement du prix d'achat ainsi que des dommages-intérêts supplémentaires.***

Que se passe-t-il si le vendeur ne respecte pas une garantie?

Si cela se produit, vous pouvez poursuivre le vendeur en dommages et intérêts, mais vous ne sauriez annuler le contrat ni rendre les biens.

EXEMPLE: ***Si la voiture mentionnée ci-dessus tombe en panne parce que la batterie est à plat, il***

semblerait qu'on ait contrevenu à une garantie plutôt qu'à une condition du contrat. L'acheteur ne pourrait poursuivre le vendeur que pour la valeur d'une nouvelle batterie et de son installation.

Une clause du contrat n'est pas une condition ou une garantie uniquement parce que le vendeur ou vous-même en avez décidé ainsi. Les circonstances indiqueront si une clause quelconque s'apparente à l'une ou l'autre. Par conséquent, une "garantie" exprimée par ce mot pourrait bien être en fait une condition et vice versa.

Le vendeur peut-il exclure certaines garanties du contrat?

Puisque la protection que vous accordent les lois sur la vente des biens ou les *Sale of Goods Acts* relève de conditions tacites présumément voulues, les vendeurs tentent parfois de se soustraire à leurs obligations en insérant dans le contrat une clause qui énonce à peu près ceci:

"Les causes explicitées ci-dessus constituent l'entente complète concernant cet achat et cette transaction ne comprend aucun autre accord, entente, déclaration, condition ou garantie, exprès ou tacite, en vertu de la loi ou autrement; tout accord, entente, déclaration, condition ou garantie à cet effet est expressément exclue en vertu des présentes."

En excluant toute condition extrinsèque, les vendeurs espèrent se libérer non seulement des conditions tacites prévues par la loi, mais aussi des garanties verbales ou écrites qu'ils peuvent avoir consenties. Jusqu'à tout récemment, les vendeurs avaient le droit de recourir à cette échappatoire; cela constituait une faiblesse des *Sale of Goods Acts*. Toutefois, les provinces et les territoires ont maintenant légiféré pour interdire les clauses "d'exonération de responsabilité", afin que les garanties prévues par les *Sale of Goods Acts* s'appliquent dans tous les cas.

Nouvelle-Écosse **Ontario**
Manitoba **Colombie-Britannique**
Territoires du Nord-Ouest **Yukon**

Dans ces provinces et territoires, la loi interdit aux vendeurs de se soustraire aux conditions prévues par les lois sur la vente des biens (*Sale of Goods Acts*) lorsqu'ils vendent des biens de consommation. (Toutefois, cette interdiction ne s'applique pas nécessairement à la vente de biens usagés.)

Nouveau-Brunswick **Saskatchewan**

Les lois sur la garantie des biens de consommation prévoit des garanties semblables à celles énoncées ci-dessus.

Québec

Il est interdit aux vendeurs de se soustraire à la protection accordée aux consommateurs en vertu de la Loi sur la protection du consommateur et du Code civil.

Si je ne réside pas dans une province ou un territoire qui interdit l'exclusion des dispositions des Sale of Goods Acts, suis-je protégé de quelque façon contre les omissions ou les clauses d'exclusion?

Oui, vous l'êtes. Les tribunaux en sont venus à définir une "doctrine of fundamental breach" (inexécution d'une obligation essentielle du contrat). Même si un contrat déclare explicitement que le vendeur et vous-même avez renoncé aux conditions implicites, les tribunaux ont décidé que, si un produit est affecté de défauts majeurs, vous ne pouviez avoir l'intention de renoncer aux privilèges que vous accorde la loi. Ils ne reconnaissent pas la validité des clauses d'exonération; vous continuez donc à bénéficier de la protection des *Sale of Goods Acts* dans une telle situation.

EXEMPLE: ***Un consommateur avait acheté une voiture neuve qui s'était révélée un "citron". La voiture ne fonctionnait pas normalement;***

après l'avoir ramenée au garage 17 fois sur une période de huit mois, le propriétaire intenta des poursuites contre le concessionnaire. Malgré une clause du contrat stipulant que le concessionnaire n'était tenu qu'à réparer ou remplacer les pièces défectueuses, le tribunal a annulé la transaction et accordé au client le remboursement du prix d'achat.

Un vendeur qui tente de s'exonérer des conditions garanties implicites pourrait être coupable de "pratique abusive" et les lois provinciales sur les pratiques de commerce interdisent généralement de tels procédés. (Voir à la page 32.)

Si c'est le fabricant et non le détaillant qui est en défaut, suis-je protégé par les lois de ma province?

Nouveau-Brunswick **Québec**
Saskatchewan

La législation de ces provinces soumet fabricants et détaillants aux mêmes exigences: il leur incombe de fournir un produit sûr et éprouvé. (Veuillez consulter la liste des lois aux pages 69 à 73 pour plus de détails sur la responsabilité des fabricants dans chacune de ces provinces.)

Dans les autres provinces les lois ne vous donnent aucun recours contre le fabricant, à moins qu'il soit également détaillant. Toutefois, elles le rendent responsable de la qualité des biens vendus si l'une des situations suivantes se présente:

1. le fabricant a fait des déclarations trompeuses dans sa publicité;
2. le fabricant a émis une garantie écrite (qui peut être exécutée, bien sûr);
3. on réussit à prouver quelque défaut de fabrication dû à la négligence.

Si le fabricant et le détaillant ont pris des mesures pour éviter les défectuosités, sont-ils quand même responsables de la qualité du produit?

Ils le sont en effet. La garantie de qualité qui fait l'objet des *Sale of Goods Acts* s'applique au détaillant quelles que soient les précautions qu'il a prises. En outre, si la loi rend le fabricant responsable de la qualité du produit (comme c'est le cas au Québec, en Saskatchewan et au Nouveau-Brunswick), la garantie concerne également ce dernier, quelque soin qu'il ait apporté à la fabrication.

Les services inadéquats

En général, le contrat de service vous protège moins que le contrat d'achat. Les personnes qui fournissent des services tels que l'asphaltage, la réfection domiciliaire, le déménagement, la réparation des voitures ou des téléviseurs ont généralement pour seule obligation de démontrer que la prestation de leurs services s'est accompagnée d'un soin raisonnable. Cela s'applique également aux médecins, avocats, dentistes ou autres membres de professions libérales.

EXEMPLE: ***Un médecin qui aurait prescrit de la thalidomide à l'une de ses patientes n'aurait pu être tenu responsable en dommages et intérêts s'il croyait de façon raisonnable qu'il s'agissait d'un médicament sûr. Une pharmacie qui aurait rempli l'ordonnance aurait pu être tenue responsable, si le médicament n'avait pas été dans un état propre à la vente ou s'était révélé inefficace, en vertu des conditions implicites prévues par le*** *Sale of Goods Act.* ***Le médecin fournissait un service tandis que la pharmacie vendait un bien, ce qui entraîne des obligations juridiques différentes.***

Les termes d'un contrat peuvent parfois relever l'entrepreneur de son obligation de prendre un "soin raisonnable".

EXEMPLE: ***Un entrepreneur réasphalte l'entrée de votre garage, mais répare les fissures de façon négligente; celles-ci réapparaissent peu après. Le contrat contient une clause exonérant la compagnie de toute responsabilité pour les dommages dus à la négligence.***

Ce genre de clause vous lierait, à moins que vous ne puissiez prouver que le défaut est si grave qu'il constitue un "fundamental breach" (inexécution d'une obligation essentielle) (voir à la page 57), ou encore que la clause d'exonération est "abusive". Cela pourrait être le cas si la clause est écrite en caractères minuscules et qu'elle n'a pas été portée à votre attention.

Québec

Une compagnie ne peut inclure dans un contrat une clause l'exonérant de sa responsabilité pour sa propre négligence.

Au Québec, comme dans d'autres provinces, certaines personnes qui fournissent des services n'ont qu'à prouver qu'elles ont pris un soin raisonnable et ne peuvent être tenues responsables si on ne fait pas la preuve d'une faute; les médecins font partie de cette catégorie.

Cependant, un autre groupe de personnes fournissant des services sont soumises à des règles plus sévères: elles doivent indemniser un consommateur qui n'obtient pas le résultat escompté, même si elles n'ont commis aucune faute se rattachant au service même. Les déménageurs en sont un exemple. Si vous payez pour un service, les lois sur les pratiques abusives vous protègent. Si l'exécutant ne tient pas ses promesses ou ses engagements, vous pouvez le poursuivre en vertu de ces lois.

Ai-je droit à une protection particulière à l'égard de tout autre service?

Québec

La Loi sur la protection du consommateur stipule que vous avez droit à des renseignements écrits détaillés sur les cours de formation auxquels vous pouvez vous inscrire (sauf ceux dispensés par les écoles, collèges, universités, services gouvernementaux et municipaux, ou par les membres des professions libérales assujettis à un code de déontologie). La loi interdit aux établissements d'exiger le paiement avant que les cours ne commencent et vous permet d'annuler le contrat en tout temps. De la même façon, les studios de santé ne peuvent exiger le paiement des frais d'inscription avant le début des séances; en outre, les contrats passés avec ces établissements sont limités à un an. Vous pouvez annuler un tel contrat avant que ne se soit écoulé le dixième du terme établi (à compter de la date de la première séance).

Les lois de certaines provinces dont le Québec obligent également les agences de voyages à se munir d'un permis et à déposer un cautionnement (ou à contribuer à un fonds commun servant à dédommager les voyageurs lésés). Cette législation a pour but de faire échec à la publicité trompeuse et de vous protéger contre les pertes si les promoteurs font faillite après avoir encaissé votre versement ou même pendant que vous poursuivez votre voyage. Vous pouvez obtenir des détails auprès des bureaux de la protection du consommateur de chacune des provinces concernées. (Veuillez consulter la liste des adresses de l'annexe générale à la fin de ce guide.)

Québec

Certaines dispositions de la Loi sur la protection du consommateur s'appliquent aussi à la réparation des automobiles, des motocyclettes et des appareils ménagers.

Dans le cas des réparations d'automobiles et de motocyclettes, le commerçant doit, sauf s'il en est dispensé par le client ou la cliente, fournir une évaluation écrite détaillée des réparations à faire, évaluation qu'il ne peut augmenter unilatéralement. Une fois les travaux terminés, il doit fournir une facture détaillée des réparations des pièces et des coûts, auxquels s'applique une garantie de 3 mois ou de 5000 kilomètres. La loi a les mêmes exigences en ce qui a trait à la réparation d'appareils ménagers. Dans tous les cas ci-haut mentionnés, les réparations coûtant moins de 50$ ne sont pas régies par la loi.

Qu'arrive-t-il si je refuse de payer des services que j'estime inadéquats?

Avant de refuser de payer, sachez qu'il existe une législation sur le privilège des constructeurs. La plupart des lois provinciales traitant de ce sujet s'intitulent *Mechanics' Liens Acts* (Loi sur le privilège du constructeur et du fournisseur), mais ne vous laissez pas abuser par l'expression "constructeur". Les dispositions de ces lois s'appliquent également aux entrepreneurs, aux ouvriers et aux réparateurs ainsi qu'à ceux qui leur fournissent des matériaux.

Qu'est-ce que le privilège du constructeur?

En vertu de ce privilège, un réparateur a le droit de conserver le bien meuble qu'il a réparé jusqu'à ce que vous lui ayez payé son travail. (Un bien meuble est un objet non fixe, par exemple une automobile ou un appareil ménager.)

EXEMPLE: ***Mme J. a conduit sa voiture au garage pour la faire réparer, mais elle n'était pas satisfaite du travail effectué et refusait de payer. Le garagiste a refusé de lui rendre la voiture jusqu'à ce qu'elle ait acquitté la note et elle a dû s'exécuter. Si elle n'avait pu s'entendre à l'amiable avec le garagiste, elle aurait été obligée d'intenter des poursuites judiciaires pour obtenir remboursement.***

La plupart des provinces ont adopté des *Mechanics' Liens Acts* pour protéger les réparateurs que certains clients refuseraient de payer. Si la facture n'est pas réglée dans un délai prévu, il peut vendre le bien.

Québec

Il n'existe pas de *Mechanics' Liens Act* au Québec, mais certaines dispositions législatives accordent une protection équivalente aux entrepreneurs et aux propriétaires. (Voir page 67.)

Serai-je avisé si on invoque un privilège contre moi?

Avant qu'un réparateur puisse vendre un bien, il doit l'annoncer dans un journal local; en outre, dans la plupart des provinces, il doit envoyer un avis au domicile du propriétaire.

Nouvelle-Écosse

Le réparateur n'est pas tenu d'envoyer un avis au domicile du propriétaire, si celui-ci réside dans un autre comté.

Ontario

Le réparateur n'est pas tenu d'envoyer un avis au domicile du propriétaire, si celui-ci réside dans une autre municipalité.

Colombie-Britannique

Le réparateur n'est pas tenu d'envoyer un avis au domicile du propriétaire.

À qui revient le produit de la vente?

Si le réparateur vend le bien, le produit est attribué comme suit:

Produit de la vente	*Bénéficiaire*
Montant dû au détenteur du privilège, frais de publicité, frais de vente	— Le réparateur ou le garagiste
Le reste (le cas échéant)	— Le propriétaire du bien

Que se passe-t-il si le réparateur me rend mon bien avant que j'aie payé?

De façon générale, le privilège disparaît automatiquement si le bien est rendu au client.

Colombie-Britannique

Si le propriétaire reconnaît par écrit devoir un certain montant au réparateur ou à l'atelier (ce qu'il fait généralement en signant le bordereau de réparation), et si le réparateur fait enregistrer son privilège dans les 15 jours, ce dernier peut rendre la voiture (ou l'avion) à son propriétaire sans renoncer à son droit d'exécuter le privilège par la suite.

Yukon

Le réparateur ou l'atelier peut rendre le bien au propriétaire pourvu qu'il fasse enregistrer son privilège dans les 15 jours.

Les réparateurs ou ateliers qui savent n'avoir aucun recours en vertu des lois provinciales ou territoriales s'ils vous ont rendu votre bien, peuvent tenter de se protéger autrement. Ils peuvent vous rendre votre bien en exigeant que vous signiez une entente leur donnant le droit de le reprendre si vous ne les payez pas. Il peut se révéler impossible de faire exécuter une telle entente, mais le réparateur pourra tout de même essayer de reprendre le bien si vous ne le payez pas.

Veuillez consulter aux pages 69 à 73 la liste des lois provinciales et des ordonnances territoriales contenant des dispositions relatives aux privilèges.

Le privilège est-il ouvert seulement au constructeur?

Les entrepreneurs, les sous-traitants, les salariés travaillant sur votre terrain, dans vos immeubles ou autres installations, ainsi que ceux qui vous fournissent des matériaux ou en fournissent à votre entrepreneur, ont tous le droit d'invoquer un privilège contre votre propriété immobilière si vous ne les payez pas.

Terre-Neuve	**Ontario**
Saskatchewan	**Alberta**

Dans ces provinces, les personnes qui vous louent du matériel peuvent également invoquer un privilège contre vous.

Comment puis-je me protéger contre ces privilèges?

En tant que propriétaire immobilier, la loi vous permet de vous protéger contre les privilèges que peuvent invoquer les sous-traitants ou les fournisseurs de matériaux que l'entrepreneur aurait négligé de payer. Dans la plupart des provinces, le *Mechanics' Liens Act* vous oblige à retenir un certain pourcentage de la valeur du travail ou des matériaux pendant une période déterminée après la fin des travaux ou la livraison des matériaux. Si le contrat que vous avez conclu avec l'entrepreneur prévoit des paiements progressifs, vous devez retenir un certain pourcentage de chaque versement. Le montant et la période de retenue diffèrent dans chaque province. Le tableau qui suit indique les exigences juridiques des provinces.

Province ou territoire	Pourcentage retenu	Période (jours)
Terre-Neuve	10	30
Nouvelle-Écosse	20*	45
Nouveau-Brunswick	20*	60
Île-du-Prince-Édouard	20*	60
Québec	Variable	
Ontario	15	37
Manitoba	20*	30
Saskatchewan	20**	37
Alberta	15	35
Colombie-Britannique	15	40
Territoires du Nord-Ouest	10	30
Yukon	10	30

* La retenue n'est que de 15 p. 100 si le contrat dépasse 15 000$.
** La retenue n'est que de 15 p. 100 si le contrat dépasse 25 000$.

Au terme de la période, si l'on n'a enregistré aucun privilège, vous pouvez payer les retenues en toute sécurité. Comme on l'a expliqué précédemment, vous auriez dû recevoir un avis si l'entrepreneur, les sous-traitants ou les fournisseurs de matériaux avaient enregistré quelque privilège. Cependant, il serait plus prudent de vérifier auprès du bureau d'enregistrement local ou du bureau du cadastre officiel avant de payer les retenues.

Si vous n'avez pas fait les retenues exigées et que votre entrepreneur ne paie pas ses sous-traitants ou ses fournisseurs, vous pouvez être contraint de payer le montant que vous auriez dû retenir.

Alberta

L'obligation de faire des retenues s'applique. Par ailleurs, les propriétaires visés par un privilège devraient suspendre tout paiement en vertu du contrat jusqu'à ce que le privilège soit radié. (Il est possible de déposer un paiement auprès du tribunal.) Si vous payez directement l'entrepreneur après l'enregistrement du privilège, celui qui l'a fait enregistrer peut vous tenir légalement responsable d'un montant plus élevé que celui de la retenue.

Un privilège peut-il s'éteindre?

Dans la plupart des cas, le droit au privilège s'éteint si celui-ci n'est pas enregistré dans le délai prévu. Même si le privilège a été enregistré dans les règles, il s'éteindra si son bénéficiaire n'intente aucune procédure pour le faire exécuter.

Nouvelle-Écosse Saskatchewan

Les privilèges non enregistrés sont opposables si une autre partie intente une nouvelle poursuite en exécution de privilège.

Saskatchewan

On peut enregistrer une réclamation contre vous et vous poursuivre même après l'expiration des délais légaux d'enregistrement.

Comment puis-je faire annuler un privilège?

Si on a enregistré un privilège contre votre propriété et que l'on a intenté des poursuites pour le faire exécuter, vous pouvez généralement le faire annuler:

1. en payant directement le créancier privilégié et en faisant enregistrer auprès du tribunal le reçu qu'il vous a donné. Le reçu doit être signé par la personne qui invoque le privilège ou par son mandataire; le reçu doit également attester que vous avez payé le montant exigé;
2. en déposant le paiement auprès du tribunal.

Qu'arrive-t-il si je ne fais pas annuler le privilège?

Le tribunal peut procéder à la vente de la propriété contre laquelle le privilège est enregistré.

La législation relative aux privilèges est-elle sensiblement la même partout au Canada?

Oui, sauf au Québec.

Québec

L'article 441 du Code civil, qui traite des biens meubles, permet à un réparateur de conserver l'article réparé jusqu'à ce qu'il ait reçu le paiement. Cependant, les articles 179 et 187 de la Loi sur la protection du consommateur interdisent aux réparateurs de conserver les automobiles ou les appareils ménagers qu'ils ont réparés, à moins qu'ils ne remplissent certaines conditions.

La législation concernant les biens immeubles se trouve aux articles 2009 à 2015 du Code civil du Québec, qui accordent un "privilège" aux ouvriers, aux fournisseurs de matériaux, aux constructeurs (entrepreneurs et sous-traitants) ainsi qu'aux architectes (mais non aux architectes paysagistes). Ces personnes sont donc des *créanciers privilégiés* qui ont un droit de priorité sur les autres créanciers pour le montant de la valeur ajoutée à votre propriété par les travaux effectués ou les matériaux commandés.

Il existe diverses façons de faire exécuter ou de conserver un tel privilège:

- les *ouvriers* ne sont pas tenus de faire enregistrer leur réclamation, mais ils doivent intenter des poursuites dans les trente (30) jours de la fin des travaux s'ils veulent se prévaloir de leur privilège;
- les *fournisseurs de matériaux* doivent faire enregistrer un affidavit contenant certains renseignements spécifiques dans les trente (30) jours de la fin des travaux; ils doivent ensuite intenter des poursuites dans les trois mois d'un avis en bonne et due forme;
- les *constructeurs et les architectes* doivent faire enregistrer un état de leur créance dans les trente (30) jours et vous en aviser dans le même délai. L'action doit être intentée dans les six (6) mois de la fin des travaux. Si les délais sont écoulés les droits deviennent caducs.

Annexe

A. Biens défectueux
   1. Garanties
      a) Expresses et implicites — S'appliquent à la qualité et à la propriété des biens prévues dans les lois provinciales et les ordonnances territoriales sur la vente des biens (*Sale of Goods Acts* et *Ordinances*).

Provinces et territoires

Terre-Neuve	Sale of Goods Act, a. 14, 16
Nouvelle-Écosse	Sale of Goods Act, a. 14, 16
Nouveau-Brunswick	Loi sur la vente d'objets, a. 13, 15 Loi sur la responsabilité et les garanties relatives aux produits de consommation, a. 8, 10
Île-du-Prince-Édouard	Sale of Goods Act, a. 14, 16
Québec	Code civil, articles 1508-1530 Loi sur la protection du consommateur, a. 36-38
Ontario	Sale of Goods Act, a. 13, 15
Manitoba	Loi sur la vente, a. 14, 16
Saskatchewan	Sale of Goods Act, a. 14, 16 Conditional Sales Act, a. 25

	Consumer Products Warranties Act, a. 11
Alberta	Sale of Goods Act, a. 15, 17
Colombie-Britannique	Sale of Goods Act, a. 16-19
Territoires du Nord-Ouest	Sale of Goods Ordinance, a. 14, 16
Yukon	Sale of Goods Ordinance, a. 14, 16

b) Clauses d'exonération — provinces et territoires qui interdisent les clauses d'exonération en vertu de leur *Sale of Goods Act* ou de la législation connexe.

Provinces et territoires

Nouvelle-Écosse	Consumer Protection Act, a. 19
Nouveau-Brunswick	Loi sur la responsabilité et les garanties relatives aux produits de consommation, a. 24-26
Ontario	Consumer Protection Act, par. 44a
Québec	Loi sur la protection du consommateur
Manitoba	Loi sur la protection du consommateur, par. 58(1)
Saskatchewan	Conditional Sales Act, a. 28 Consumer Products Warranties Act, a. 7

Colombie-Britannique	Sale of Goods Act, a. 20 (l'interdiction ne vise que les biens neufs)
Territoires du Nord-Ouest	Consumer Protection Ordinance, par. 58(1)
Yukon	Consumer Protection Ordinance, par. 59(1)

c) Obligations du fabricant.

Provinces

Nouveau-Brunswick	Loi sur la responsabilité et les garanties relatives aux produits de consommation, a. 3
Saskatchewan	Consumer Products Warranties Act, a. 13
Québec	Loi sur la protection du consommateur, a. 53, 54 et 273-275

2. Sûreté des produits — Législation visant les produits défectueux

Législation fédérale	Loi des aliments et drogues Loi sur les produits dangereux Loi sur la sécurité des véhicules automobiles Loi sur l'emballage et l'étiquetage des produits de consommation Loi sur l'étiquetage des textiles

Législation provinciale et territoriale	Abondante et variée Veuillez vérifier auprès du bureau de la protection du consommateur de votre province ou territoire

B. Services inadéquats

Services réglementés par le gouvernement — Législation relative à l'industrie touristique

Provinces

Québec	Loi sur les agents de voyages
Ontario	Travel Industry Act
Colombie-Britannique	Travel Agents Act

C. Privilège du constructeur ou du fournissur de matériaux

Provinces et territoires

Terre-Neuve	Mechanics' Lien Act
Nouvelle-Écosse	Mechanics' Lien Act
Nouveau-Brunswick	Loi sur le privilège des constructeurs et des fournisseurs de matériaux
Île-du-Prince-Édouard	Mechanics' Lien Act
Québec	Code civil, articles 2009-2015
Ontario	Mechanics' Liens Act
Manitoba	Loi sur le privilège du constructeur

	Loi sur les entrepreneurs et travailleurs du bâtiment Loi sur les garagistes
Saskatchewan	Garage Keeper's Act Mechanics' Lien Act
Alberta	The Builders Lien Act Garagemen's Lien Act
Colombie-Britannique	Builders Lien Act Repairers Lien Act
Territoires du Nord-Ouest	Garagemen's Lien Ordinance Mechanics' Lien Ordinance
Yukon	Mechanics' Lien Ordinance Garage Keepers' Liens Ordinance

Chapitre III

L'achat à crédit

La plupart des Canadiens recourent au crédit un jour ou l'autre, soit pour l'achat d'une maison (hypothèque), soit pour une nouvelle voiture (nantissement), soit pour d'autres biens ou services (en utilisant une carte de crédit). À l'heure actuelle, les Canadiens doivent 105$ milliards sur hypothèques et approximativement 40$ milliards en prêts à la consommation.

La plupart des gens qui utilisent le crédit ne rencontrent aucun problème, mais il survient parfois des difficultés. Il peut arriver qu'on vous refuse du crédit ou que, en raison d'une maladie ou d'un changement d'emploi, vous ayez des difficultés à faire vos versements.

Dans le chapitre qui suit, nous passons en revue les choix qui vous sont offerts dans ce genre de situation; nous décrivons également les divers types de crédit existant et résumons les législations fédérale, provinciale et territoriale qui s'appliquent au crédit.

L'emprunt

Comparez les conditions de crédit

Tout comme vous choisissez les meilleures conditions lorsque vous achetez des biens ou des services, vous devriez faire des comparaisons lorsque vous désirez faire un emprunt. Essayez d'obtenir le taux d'intérêt le plus bas, sans toutefois oublier le coût des autres services, ceux, par exemple, de l'assurance-prêt, que vous aurez peut-être à payer. Le coût de ces services et d'autres conditions de l'entente peuvent varier d'une institution prêteuse à l'autre.

Dans certains cas, le coût du crédit ne constitue pas l'élément le plus important à considérer. Ainsi, si vous pouvez acheter à prix d'aubaine des articles dont vous avez besoin mais que vous ne disposez pas du comptant voulu au moment où ils sont offerts en solde, il se peut que vous réalisiez des économies en les achetant tout de suite à crédit, même si les intérêts exigés sont élevés.

Un dossier dont l'existence vous est peut-être inconnue: le dossier de crédit et de renseignements personnels

Lorsque vous demandez un prêt ou une carte de crédit, l'institution prêteuse vérifie généralement la façon dont vous vous êtes acquitté de vos obligations passées. Pour ce faire, elle s'adresse à un bureau de crédit. Les bureaux de crédit sont des agences privées qui recueillent et fournissent des renseignements de crédit et d'ordre personnel sur les particuliers. Les renseignements "personnels" peuvent avoir trait à votre personnalité, votre réputation, votre santé, etc.; ces renseignements sont souvent demandés par les sociétés d'assurance, les propriétaires, les employeurs et les organismes gouvernementaux. Les renseignements "de crédit" peuvent comprendre l'historique d'emploi, les habitudes de paiement, le statut matrimonial et ainsi de suite. Le caractère exact et complet de ce dossier peut influer profondément sur votre vie; un certain nombre de provinces ont donc adopté des lois afin de réglementer ces agences et d'imposer certaines restrictions aux prêteurs et autres personnes qui ont recours à leurs services.

La section qui, dans ce chapitre, traite de la législation, décrit les diverses lois provinciales s'appliquant aux agences de crédit. Si vous avez besoin d'aide dans vos rapports avec une agence de ce genre, consultez un bureau provincial de la protection du consommateur. (Les adresses figurent à l'annexe générale à la fin de ce guide.)

Les genres de crédit

Le crédit variable (cartes de crédit)

Les cartes des magasins à rayons et des sociétés pétrolières, de même que les cartes bancaires (comme "MasterCard" ou "Visa") constituent un genre de crédit distinct qu'on appelle "crédit variable". Il s'agit d'un crédit que vous pouvez utiliser à votre gré, dans l'avenir, pour vous procurer des biens ou des services.

Étant donné que des problèmes particuliers se sont présentés à l'égard de ce genre de crédit, la plupart des provinces ont maintenant adopté une législation à ce sujet. (Vous trouverez plus de détails sur cette question à la page 92 de ce chapitre).

Le crédit consenti par le vendeur et le prêteur

On divise généralement en deux grandes catégories le crédit utilisé pour acheter des biens: celui consenti par le vendeur et celui consenti par le prêteur.

Le crédit consenti par le vendeur est accordé par l'entreprise qui vend le bien ou fournit le service (pour l'achat, par exemple, d'un congélateur dont vous avez la jouissance immédiate). L'entreprise vous ouvre un compte afin que vous puissiez payer en plusieurs versements périodiques déterminés. Généralement, le vendeur conserve la propriété des biens vendus jusqu'à parfait paiement.

Le crédit consenti par le prêteur s'obtient auprès d'une banque, d'une caisse d'économie, d'une société de fiducie ou de crédit. Par exemple, vous pouvez leur demander un prêt de 1000$ en vue d'acheter un mobilier de salle à manger.

Il peut exister des différences importantes entre ces deux genres de crédit puisque les dispositions juridiques qui s'y appliquent respectivement ne sont pas les mêmes. Cependant, la différence entre les deux est parfois assez floue. Par exemple, un concessionnaire de voitures peut vous faire signer un contrat de vente à tempérament (voir à la page 81) et vendre ensuite ce contrat à une compagnie de crédit. Bien que vous remboursiez la société de crédit, maintenant devenue le prêteur, les lois relatives au crédit consenti par le vendeur restent applicables.

Les escompteurs d'impôt (vente du droit à un remboursement d'impôt sur le revenu)

Ces dernières années, un certain nombre de Canadiens ont recouru à un genre de crédit différent: la vente du remboursement anticipé de l'impôt sur le revenu payé en trop. On appelle parfois "escompteurs d'impôt" les entreprises qui achètent ces remboursements à venir. Ces escompteurs examinent votre déclaration d'impôt afin de déterminer le montant du remboursement auquel vous avez droit, vous achètent ce remboursement en vous en payant une partie immédiatement, puis attendent le chèque qui leur sera envoyé directement par le gouvernement.

Cela constitue *effectivement* un moyen d'obtenir, plus tôt que prévu, une partie de votre remboursement. Vous ne recevez cependant qu'*une partie* de votre remboursement, le reste allant à l'escompteur d'impôt.

Étant donné qu'un très grand nombre d'escompteurs ne donnent qu'un très faible pourcentage du remboursement prévu, le gouvernement fédéral et certaines provinces ont commencé à réglementer le pourcentage du remboursement que l'escompteur peut garder. (Vous trouverez plus de renseignements aux pages 95 et 112.)

Les intérêts (le coût de l'emprunt)

Le coût de l'emprunt est le montant que l'emprunteur doit rembourser au prêteur en sus de l'argent qu'il a effectivement reçu. Le taux d'intérêt est le coût de l'emprunt exprimé en pourcentage du montant emprunté; il est généralement calculé annuellement.

EXEMPLE: ***M. M. a emprunté 10 000$ pour l'achat d'une nouvelle voiture à un taux d'intérêt annuel de 14 p. 100. L'échéance de l'emprunt, capital et intérêts, a été fixée à un an. Cela signifie que M. M. devra payer 1400$ d'intérêt ou un total de 11 400$ à la fin de l'année.***

Si M. M. avait remboursé son emprunt par des versements échelonnés sur l'année, les intérêts représenteraient alors un taux supérieur à 14 p. 100 puisque le montant dû par M. M. n'aurait pas été de 10 000$ durant toute l'année.

Renseignez-vous auprès d'un certain nombre d'institutions prêteuses avant d'emprunter de l'argent, leurs taux d'intérêts pouvant varier.

Sachez qu'il existe diverses lois fédérales et provinciales s'appliquant aux taux d'intérêts qu'un prêteur peut exiger. (Ces lois sont commentées à la page 96; voir aussi à la page 113.)

Les garanties sur les prêts

Lorsqu'une institution vous prête de l'argent, elle veut s'assurer que vous serez en mesure de le lui rembourser ou qu'elle aura un autre moyen de se faire rembourser si vous ne pouvez vous-même y arriver. Les prêteurs exigent donc généralement une forme quelconque de garantie, dont les plus fréquentes sont les suivantes:

La signature conjointe

Il s'agit de l'une des formes de garantie les plus courantes (et de l'une des meilleures du point de vue du prêteur). Dans ce cas, on exige qu'une deuxième personne, outre l'emprunteur, signe ou garantisse l'emprunt. Si vous ne faites pas vos paiements, le prêteur peut alors les exiger du cosignataire, ce dernier étant responsable, au même titre que vous, du remboursement de l'emprunt. (Les banques utilisent souvent une forme de garantie rendant le cosignataire responsable du remboursement non seulement du premier emprunt, mais des emprunts éventuels.)

EXEMPLE: ***M. et Mme M. étaient séparés depuis plusieurs semaines lorsqu'un agent de perception a communiqué avec Mme M. en lui demandant de faire les paiements sur un emprunt contracté par son mari pour l'achat d'une automobile. Mme M. avait signé conjointement la demande de prêt, mais on l'avait assurée que ce nétait là "qu'une formalité". Mme M. était légalement responsable des paiements même si c'est son mari qui avait la voiture: elle en avait accepté la responsabilité lorsqu'elle avait signé le document conjointement avec lui.***

Les contrats de vente à tempérament

En vertu d'un contrat de vente à tempérament, vous pouvez emporter les biens ainsi achetés, mais le vendeur en demeure propriétaire jusqu'à ce que vous les ayez complètement payés.

EXEMPLE: ***Mme Lapierre a obtenu du crédit auprès du concessionnaire où elle a acheté une auto. Ce concessionnaire (ou la compagnie de crédit qui lui a racheté le contrat) reste propriétaire de la voiture jusqu'à ce que Mme Lapierre l'ait entièrement payée.***

Puisque le prêteur reste propriétaire du bien jusqu'à ce que vous l'ayez complètement payé, il peut en reprendre possession si vous faites défaut.

Les "nantissements" mobiliers

Il s'agit d'un type de garantie très courant (sauf au Québec, où il n'existe pas). On entend par biens meubles des articles que l'on peut transporter ou déplacer, tels que les appareils ménagers et les automobiles. Si vous ne remboursez pas votre emprunt, un nantissement mobilier donne au prêteur le droit de vendre vos biens mobiliers, généralement ceux que vous avez achetés avec l'argent emprunté, mais aussi quelquefois d'autres biens vous appartenant.

Le prêteur peut également se munir d'un nantissement mobilier si vous empruntez un montant élevé afin de rembourser un certain nombre de dettes moins importantes.

Les conséquences juridiques et pratiques d'un nantissement mobilier sont semblables à celles d'une vente à tempérament: si vous êtes en défaut, le créancier ou le prêteur peuvent habituellement saisir et vendre vos biens sans ordonnance du tribunal. Dans certaines provinces, le créancier a le droit de vous poursuivre pour obtenir le paiement du solde si le produit de la vente ne suffit pas à éteindre votre dette.

Les cessions de salaire

Un créancier vous demandera parfois d'engager volontairement une partie de votre salaire avant de vous consentir du crédit ou avant d'accepter d'échelonner de nouveau vos paiements si vous êtes en défaut. Si vous consentez la cession d'une partie de votre salaire, mais manquez d'y donner suite, le créancier peut présenter votre consentement à votre employeur et ce dernier peut alors être tenu de déduire de votre salaire la proportion convenue et de la verser à votre créancier.

Dans la plupart des provinces, il existe des lois qui limitent cette pratique. La demande d'une cession de salaire est parfois interdite ou ne peut être utilisée que par certains genres de créanciers, par exemple, les "Credit Unions" (caisses d'économie), ou est soumise aux restrictions qui, sur le plan monétaire, s'appliquent aux cas de saisie-arrêt. (Vérifiez la liste des lois provinciales et territoriales au sujet des cessions de salaire aux pages 115 et 116.)

L'incapacité de payer

Si vous êtes en retard dans vos paiements, voici certaines options qui s'offrent à vous:

La renégociation de l'entente de remboursement

La première étape consiste à communiquer avec les créanciers auxquels vous devez des arrérages pour tenter de négocier un nouvel échéancier de remboursement. La plupart des créanciers responsables y consentiront surtout si vous êtes dans une mauvaise passe et si c'est la première fois que vous avez des problèmes de paiements.

Les services-conseils sur le crédit

Si vous ne pouvez vous entendre avec votre créancier sur une solution temporaire, cherchez un service de conseillers en matière de crédit dans les pages jaunes de votre annuaire téléphonique ou téléphonez au bureau le plus rapproché de Consommation et Corporations Canada, du ministère des Institutions financières et Coopératives du Québec ou de l'Office de la protection du consommateur. (Les adresses de ces bureaux figurent aux pages 218 à 232.)

Alberta **Colombie-Britannique**

Le gouvernement provincial a établi des bureaux d'aide aux débiteurs afin de donner tous les conseils nécessaires aux personnes endettées. Ces bureaux peuvent négocier de nouveaux modes de paiement avec les créanciers et, si vous faites face à plusieurs poursuites à la fois, obtenir des ordonnances de consolidation devant les tribunaux. Ils administrent également la Partie X de la Loi fédérale sur la faillite, qui prévoit un système de "paiement méthodique des dettes".

Ontario

Les registraires du tribunal des petites créances vous prodigueront à peu près ces mêmes services.

Dans certaines provinces, vous pouvez également obtenir des conseils en vous adressant aux associations de créanciers. Elles essaieront de conclure une entente avec tous vos créanciers, visant à réduire vos paiements et à les échelonner sur une période plus longue.

Enfin, si aucun des services mentionnés ci-dessus n'est offert dans votre région, votre banque ou votre caisse d'économie peuvent souvent vous donner des conseils et vous aider à régler vos problèmes d'endettement.

Le paiement méthodique des dettes (PMD)

Comme nous l'avons mentionné dans la section précédente, la Partie X de la Loi fédérale sur la faillite prévoit un mécanisme en vertu duquel les débiteurs qui résident dans certains endroits du Canada (voir le tableau en page 86) et qui répondent à certains critères, peuvent présenter une demande à un greffier spécial du tribunal compétent afin que celui-ci rende une ordonnance de consolidation.

En vertu de cette procédure appelée "Paiement méthodique des dettes" (PMD), un montant déterminé est versé auprès du tribunal les jours de paie. Le montant de ce paiement, fixé par le greffier ou par un conseiller en matière d'endettement, est fonction de votre chèque de paie et de ce qui en reste après déduction des montants nécessaires au paiement du loyer, de la nourriture et autres besoins essentiels. Le tribunal distribue ensuite l'argent aux créanciers au prorata de leurs créances.

Vous devez, pour être admissible, pouvoir payer toutes vos dettes dans un délai raisonnable (généralement trois ans). (Certaines dettes ne sont pas admissibles au PMD, par ex. les hypothèques et, dans certaines provinces, tout montant de plus de 1000$ dû à un seul créancier.)

Québec

La Loi des dépôts volontaires, qui a remplacé l'ancienne loi Lacombe, prévoit un mécanisme semblable. Le débiteur déclare à la Cour provinciale le montant de son salaire, ses charges familiales, les noms de ses créanciers et les montants qui leur sont dus. Il effectue ensuite des dépôts hebdomadaires auprès du tribunal et ce dernier répartit l'argent entre les créanciers. Ces derniers ne peuvent alors prendre aucune autre mesure juridique contre lui. (Voir à la page 123 les adresses des bureaux de la loi des dépôts volontaires.)

Ontario

La Partie X de la loi fédérale n'y est pas en vigueur, mais la Cour des petites créances peut prendre des dispositions semblables.

Partie X de la Loi fédérale sur la faillite (Paiement méthodique des dettes)

Provinces et territoires	En vigueur	Non en vigueur
Terre-Neuve		X
Nouvelle-Écosse	X	
Nouveau-Brunswick		X
Île-du-Prince-Édouard	X	
Québec		X*
Ontario		X*
Manitoba	X	
Saskatchewan	X	
Alberta	X	
Colombie-Britannique	X	
Territoires du Nord-Ouest	X	
Yukon		X

* Pour ces provinces, voir au pages 86 et 87.

La faillite

Si vous êtes vraiment très endetté, il se peut que déclarer faillite soit la meilleure décision, et peut-être la seule, que vous puissiez prendre.

La procédure

Tout comme le paiement méthodique des dettes, la faillite est une procédure fédérale prévue dans la Loi sur la faillite. En vertu de cette législation, vous devez confier au syndic de la faillite tous vos biens de quelque valeur, exception faite de ceux qui sont exemptés par les lois provinciales; le syndic s'occupe de les vendre et distribue le produit de la vente à vos créanciers. (Les lois provinciales vous permettent généralement de conserver les biens non grevés d'une hypothèque ou d'un nantissement, jusqu'à un certain montant, afin que vous ne soyez pas complètement dépossédé. Vous conserverez normalement votre garde-robe, vos articles ménagers et certains autres biens essentiels.)

Les dettes que la faillite n'efface pas

L'ordonnance de faillite n'englobe pas toutes vos dettes; vous devrez continuer à payer la pension alimentaire pour votre enfant ou votre conjoint ainsi que les factures pour les services courants. Le tribunal peut également vous ordonner de verser une partie de votre salaire au syndic avant de vous accorder votre"libération", c'est-à-dire avant que vous soyez déchargé de vos dettes par les paiements de faillite. De plus, tout comme dans le cas du paiement méthodique, les créanciers garantis peuvent saisir les biens qui ont été nantis en garantie des emprunts, mais les autres créanciers ne peuvent entreprendre ou poursuivre des procédures de perception.

La libération

Après une période relativement courte (généralement six mois, mais cela peut aller jusqu'à un an) vous êtes libéré du reste des dettes qui apparaissaient sur l'ordonnance de faillite. Après votre libération, vous n'êtes pas tenu de mettre les créanciers ou autres personnes au courant de votre faillite. Mais des renseignements sur votre faillite peuvent subsister dans les dossiers des bureaux de crédit pendant un certain nombre d'années (voir à la page 78). Ce nombre varie selon les provinces et va de six ans en Colombie-Britannique, à 14 ans dans un certain nombre d'autres provinces.

L'un des inconvénients de la faillite est que la procédure de faillite elle-même peut être coûteuse. Il faut en charger un syndic (un comptable qui a le droit d'agir comme syndic), et ses honoraires peuvent être assez élevés: environ 700$ à 800$ pour une affaire relativement simple. Vous pourriez également être obligé de payer d'autres frais reliés à la faillite, ce qui peut représenter un déboursé supplémentaire de 100$ ou plus. (Le montant de ces frais et les honoraires du syndic varient selon la complexité du dossier.) Si vous ne pouvez assumer le paiement de ces frais et honoraires, veuillez entrer en contact avec l'un des bureaux de Consommation et Corporations Canada, dont la liste se trouve aux pages 218 à 222. Quelqu'un vous aidera à trouver un syndic qui acceptera de s'occuper de votre faillite pour des honoraires moins élevés.

Les droits des créanciers

Les droits que possèdent les créanciers d'intenter des poursuites contre vous ne sont pas les mêmes partout au Canada. Nous étudions ces droits dans la section de ce chapitre traitant de la législation relative au crédit. La description des droits des créanciers commence à la page 97.

La législation

Les rapports de crédit et de renseignements personnels

Existe-t-il des lois pour régir les agences qui fournissent des renseignements personnels et de crédit à mon sujet?

Terre-Neuve
Nouvelle-Écosse
Île-du-Prince-Édouard
Ontario
Manitoba
Saskatchewan
Colombie-Britannique

Dans ces provinces, les bureaux de crédit et organismes semblables doivent être enregistrés ou détenir un permis. La loi réglemente également le contenu des rapports qu'ils émettent, les circonstances et conditions dans lesquelles ces rapports peuvent être fournis ainsi que les critères autorisant une personne ou un organisme à les obtenir.

Ma permission est-elle nécessaire pour que d'autres personnes puissent prendre connaissance de mon dossier de crédit?

Nouvelle-Écosse
Île-du-Prince-Édouard
Ontario
Manitoba
Colombie-Britannique

Dans ces provinces, quiconque désire avoir des renseignements personnels à votre sujet (que ce soit votre propriétaire, la banque ou un grand magasin) ou sur votre dossier de crédit, doit obtenir votre autorisation écrite ou doit vous aviser qu'un rapport va être émis ou l'a été.

Si on me refuse du crédit ou un emploi en raison de mon dossier, en serai-je informé?

Nouvelle-Écosse
Ontario
Colombie-Britannique
Île-du-Prince-Édouard
Manitoba

Si l'on vous refuse un bénéfice ou avantage quelconque, par exemple un prêt ou un emploi en raison des renseignements contenus dans un tel rapport, la loi exige, dans ces provinces, que l'utilisateur vous dise que le rapport est la cause du refus. Vous avez alors le droit de connaître le nom et l'adresse de l'agence qui l'a préparé. Si vous avez été privé d'un avantage ou bénéfice quelconque en raison de renseignements provenant d'une source autre qu'une agence de renseignements, vous avez alors le droit, dans certaines provinces, de connaître la nature et la source de cette information.

Ai-je le droit de vérifier les renseignements que l'agence détient à mon sujet?

Terre-Neuve
Île-du-Prince-Édouard
Manitoba
Colombie-Britannique
Nouvelle-Écosse
Ontario
Saskatchewan

Dans ces provinces, vous avez le droit de poser à l'agence les questions suivantes:

1) Quels renseignements contient mon dossier?
2) Où avez-vous obtenu ces renseignements?
3) À qui a-t-on donné accès à mon dossier?

Québec

Au Québec, vous avez le droit d'examiner votre dossier de crédit, mais l'agence n'est pas tenue de révéler ses sources.

Le consommateur a le droit d'examiner son dossier de crédit et d'y apporter les corrections et les commentaires qu'il juge nécessaires. La personne qui désire consulter son dossier doit se rendre au bureau de crédit de sa région et apporter une pièce d'identité. Les renseignements sont souvent consignés au dossier sous forme de codes qui doivent être expliqués par le bureau de crédit afin que le consommateur puisse les comprendre et en vérifier l'exactitude.

Et si je décèle une erreur dans mon dossier?

Terre-Neuve	**Nouvelle-Écosse**
Île-du-Prince-Édouard	**Québec**
Ontario	**Manitoba**
Saskatchewan	**Colombie-Britannique**

Dans toutes ces provinces, vous avez le droit de contester tout renseignement contenu dans votre dossier. (À Terre-Neuve, c'est un greffier (*Registrar*) qui le fait à votre place.) L'agence devra alors prouver la véracité de ce renseignement, sinon elle devra l'enlever ou ajouter d'autres renseignements afin de compléter votre dossier. Elle doit également aviser quiconque a récemment obtenu copie de votre dossier qu'on y a apporté des changements.

Comment obtenir de l'aide pour faire respecter mes droits?

Lorsqu'on contrevient à ces lois, les administrateurs provinciaux possèdent des pouvoirs très étendus afin de faire enquête sur votre plainte et d'exiger que soient apportées les corrections qui s'imposent. Si vous avez besoin d'aide dans vos pourparlers avec une agence de renseignements, consultez votre bureau provincial de la protection du consommateur.

La publicité sur le crédit

Toutes les provinces et les territoires réglementent la publicité sur le crédit, généralement en spécifiant les renseignements que doit contenir cette publicité. Si, par exemple, la publicité porte sur les frais de crédit, elle doit indiquer le coût total de l'emprunt et le taux d'intérêt annuel.

EXEMPLE: ***On ne peut se contenter de dire, dans une publicité: "PAYEZ SEULEMENT 2 p. 100 D'INTÉRÊTS PAR MOIS." Il faut également donner le taux annuel qui, dans ce cas, s'élèverait à 24 p. 100.***

Québec

La publicité sur le crédit ne peut vous exhorter à acheter des biens ou des services à crédit, ou contenir des illustrations de biens et de services. La publicité des biens et des services que l'on peut se procurer à crédit peut seulement mentionner que le crédit est disponible; de plus, cela doit être fait de la façon prévue par la Loi sur la protection du consommateur.

Existe-t-il des lois contre la publicité incorrecte ou trompeuse sur le crédit?

Dans certaines provinces, en Ontario par exemple, on a essayé de contrôler la publicité fausse ou trompeuse sur le crédit par le biais de lois qui donnent à un administrateur le pouvoir de faire cesser telle publicité. En votre qualité de consommateur, vous avez les mêmes recours en matière de publicité sur le crédit que pour tout autre genre de publicité fausse ou trompeuse. (Nous avons discuté de ces questions au chapitre I.)

Le crédit variable

Peut-on légalement m'envoyer des cartes de crédit que je n'ai pas sollicitées?

Chaque province (mais non les territoires) a adopté des lois afin de vous protéger contre les cartes de crédit non sollicitées.

Nouveau-Brunswick **Île-du-Prince-Édouard**
Québec **Manitoba**
Alberta

Dans ces provinces, on ne peut légalement vous envoyer une carte que vous n'avez pas sollicitée.

Dans les autres provinces, les lois stipulent qu'il doit y avoir une demande écrite ou que vous n'êtes pas responsable des montants facturés sur une carte non sollicitée tant que vous ne l'avez pas acceptée. *Toutefois, l'utilisation de la carte est parfois considérée comme une acceptation.*

Une carte renouvelée ou remplacée est considérée comme une carte que vous auriez sollicitée.

Si ma carte de crédit est perdue ou volée, dois-je payer pour les achats faits par d'autres personnes avec ma carte?

Assurez-vous que vous savez où sont vos cartes de crédit et signalez la perte de toute carte dès que possible; vous pourriez être obligé de payer des montants substantiels si vos cartes de crédit sont volées et si vous n'avez pas avisé la compagnie avant que le voleur ne les ait utilisées.

Manitoba **Alberta**

Ces provinces ont adopté la pratique en usage aux États-Unis qui consiste à limiter votre responsabilité à 50$ pour les achats faits par un voleur avant que vous n'ayez eu le temps d'aviser la compagnie émettrice qu'on vous a volé votre carte.

Québec

Dans cette province, votre responsabilité se limite à 50$ même si vous n'avisez pas la compagnie émettrice.

Un certain nombre de compagnies émettrices de cartes de crédit ont volontairement adopté la limite de responsabilité de 50$ en vigueur au Québec, à condition que vous ne fassiez pas preuve de négligence dans le signalement de la perte.

Les lois sur le crédit consenti par les vendeurs et les prêteurs

Que devrais-je vérifier avant de signer un contrat de crédit?

Toutes les provinces et les territoires ont des lois réglementant le crédit consenti par les vendeurs et les prêteurs. Ces lois stipulent que le contrat de crédit doit répondre à certaines règles et contenir certains renseignements. Ainsi, il doit contenir:

- le nom et l'adresse du vendeur (sauf au Manitoba);
- une description suffisamment détaillée des biens ou des services pour qu'on puisse les identifier avec certitude;
- un état détaillé du prix, des frais de crédit et des conditions de paiement, y compris toute forme de garantie de paiement que s'accorde le vendeur en vertu du contrat;
- une déclaration du taux d'intérêt annuel réel, calculé selon une formule prévue dans la loi.

Le contrat doit être signé par le vendeur (ou le prêteur) et le consommateur, et l'on doit vous donner une copie intégrale du contrat.

Qu'arrive-t-il si certains de ces renseignements sont absents du contrat que j'ai signé?

Si cette réglementation n'est pas respectée, diverses pénalités sont prévues, qui varient selon les provinces: accusations pénales; acheteur libéré des obligations inscrites au contrat; annulation ou réduction des paiements d'intérêts ou annulation des droits du créancier à l'égard des garanties qu'il s'était données.

Québec

Vous pouvez, sans pénalité, annuler les contrats d'emprunt d'argent et les contrats comportant du crédit, si vous le faites dans les deux (2) jours qui suivent la réception d'une copie du contrat.

Les escompteurs de remboursement d'impôt sur le revenu

Quel pourcentage de mon remboursement d'impôt sur le revenu un escompteur doit-il me donner?

La Loi fédérale sur la cession du droit au remboursement en matière d'impôt exige, dans toutes les provinces, que les escompteurs vous donnent au moins 85 p. 100 du montant qui vous est dû par le gouvernement. La Loi oblige également l'escompteur à vous dire, après réception, le montant exact qui vous était dû.

Terre-Neuve	**Nouvelle-Écosse**
Manitoba	**Saskatchewan**
Alberta	**Colombie-Britannique**

Chacune de ces provinces a adopté des lois réglementant l'activité des escompteurs. Certaines de ces lois sont semblables à la loi fédérale, en ce sens qu'elles limitent également le pourcentage que peut retenir un escompteur.

Province	*Pourcentage payable*
Terre-Neuve	L'escompteur doit rembourser au moins 90 p.100.
Manitoba	L'escompteur doit rembourser au moins 95 p. 100 du *remboursement d'impôt sur le revenu provincial.*
Saskatchewan	L'escompteur doit rembourser au moins 95 p. 100 du *remboursement d'impôt sur le revenu provincial.*
Colombie-Britannique	L'escompteur doit rembourser au moins 85 p. 100.

Que puis-je faire si l'escompteur ne me donne pas le pourcentage auquel j'ai droit?

Nouvelle-Écosse **Île-du-Prince-Édouard**
Saskatchewan **Alberta**
Colombie-Britannique **Yukon**

Entrez en contact avec votre bureau régional de protection du consommateur.

Manitoba

Entrez en contact avec le Manitoba Tax Assistance Office, à Winnipeg.

Toutes les autres régions:

Entrez en contact avec le bureau le plus rapproché de Consommation et Corporations Canada.

Québec

En vertu du Code civil les contribuables du Québec ne peuvent pas céder à un escompteur d'impôt leur droit au remboursement d'impôt provincial qui leur serait dû. Les escompteurs de remboursement d'impôt sur le revenu, au Québec, ne peuvent donc offrir leurs services que pour le remboursement de l'impôt fédéral.

Les intérêts

Existe-t-il des lois régissant l'intérêt que l'on peut me demander?

Oui. En vertu du Code criminel du Canada, il y a infraction criminelle à conclure une entente visant à percevoir des intérêts dont le taux annuel réel dépasse 60 p. 100. On entend par "intérêt" tous les frais et dépenses payés ou payables pour l'obtention du crédit.

Dans chaque province (mais non dans les territoires), vous pouvez vous adresser aux tribunaux pour rouvrir et modifier un contrat si le coût de l'emprunt est "excessif" ou “abusif”. Bien que la législation s’applique à la plupart des ententes de crédit, les cas où l’on a utilisé ce recours avec succès ont été surtout des cas de prêts hypothécaires. On énumère, aux pages 113 et 114, les lois qui s’appliquent aux taux d’intérêts excessifs.

Les options ouvertes aux créanciers

Que peuvent faire mes créanciers si je ne les paie pas?

Si vous avez des difficultés à faire vos paiements, vos créanciers peuvent prendre un certain nombre de mesures pour se faire rembourser. Ces mesures diffèrent selon qu’il s’agit d’un créancier *garanti* ou *ordinaire*.

Quelle est la différence entre le créancier garanti et le créancier ordinaire?

Le créancier *garanti* est celui qui a pris des mesures spéciales additionnelles en vue de s’assurer d’être remboursé. Les ventes à tempérament, les nantissements mobiliers, les contrats avec cosignataire(s) de l’emprunteur et les cessions de salaire constituent autant de formes de crédit garanti.

Le créancier *ordinaire* est celui qui vous a fait crédit en se basant sur la valeur de votre seule signature. Si vous ne payez pas, son seul recours est de vous poursuivre en justice.

Qu’arrive-t-il si je ne puis faire mes versements dans le cadre d’un contrat de vente à tempérament?

Partout au Canada, il existe des lois relatives aux ventes à tempérament (dites aussi ventes conditionnelles), qui prévoient les recours dont dispose le vendeur lorsque l’acheteur est en défaut.

Dans certaines provinces, le vendeur (créancier) peut reprendre, par voie de saisie, les biens que vous avez achetés et les revendre. Si l’argent recueilli est inférieur au montant que vous lui devez, le vendeur peut alors vous poursuivre pour la différence.

Dans d'autres provinces, le vendeur peut saisir les biens ou vous poursuivre pour le solde qui lui est dû, mais il ne peut faire les deux. Si donc il saisit vos biens, il ne peut plus dès lors vous poursuivre, même si la vente de vos biens n'éteint pas entièrement votre dette. Le tableau suivant indique les provinces ou territoires permettant la saisie ou une poursuite, ou les deux:

Provinces et territoires	Saisie et poursuite	Saisie ou poursuite	Saisie seulement
Terre-Neuve		X	
Nouvelle-Écosse	X		
Nouveau-Brunswick	X		
Île-du-Prince-Édouard	X		
Québec		X	
Ontario	X		
Manitoba		X	
Saskatchewan			X
Alberta		X	
Colombie-Britannique		X	
Territoires du Nord-Ouest		X	
Yukon		X	

Dans la plupart des provinces, le vendeur doit d'abord obtenir la permission d'un juge avant de pouvoir saisir les biens si vous avez déjà payé une certaine partie du prix d'achat.

Québec

Le vendeur doit toujours vous aviser de son intention de pratiquer une saisie.

Saskatchewan

Si vous êtes en défaut, le vendeur doit vous aviser, en raison des dispositions de la *Limitation of Civil Rights Act*, de son intention de saisir. Vous avez alors le droit à une audition devant un juge et celui-ci peut rendre toute ordonnance au sujet de la possession des biens et des paiements futurs. Si le vendeur saisit les biens sans vous en avoir d'abord avisé, vous n'êtes plus lié par le contrat et vous pouvez alors obtenir remboursement de tout l'argent que vous avez payé.

Manitoba

La Loi sur la protection du consommateur vous donne le droit de vous adresser aux tribunaux pour obtenir un allégement. Vous pouvez, par exemple, demander une modification des échéances de paiement.

Qu'arrive-t-il après la saisie?

Lorsque vos biens ont été saisis, ils doivent généralement être gardés sous séquestre pendant une certaine période, durant laquelle vous pouvez les récupérer. Dans certaines provinces, vous pouvez le faire en payant les arrérages et en remboursant le vendeur de ses frais de saisie. Dans d'autres provinces, vous ne "pouvez récupérer vos biens que si vous payez la totalité du solde" (si le contrat que vous avez signé initialement contenait une clause à cet effet).

Dans les provinces autorisant saisie et poursuite, le vendeur qui a l'intention de vendre vos biens et de vous poursuivre pour la différence, doit d'abord vous en aviser. Cet avis doit contenir une description des biens ainsi que le montant qu'il vous reste à payer. Si le produit de la vente est plus élevé que le montant de la dette, le reliquat vous appartient.

Qu'arrive-t-il si le vendeur cède mon contrat de vente à tempérament?

Afin d'éviter tout problème potentiel avec les acheteurs, les vendeurs cèdent souvent (vendent) les contrats de vente à tempérament à une société de crédit, à une banque ou une association de crédit, qui devient alors le prêteur ou créancier et qui perçoit vos paiements.

Jusqu'à une date récente, ces prêteurs pouvaient se protéger contre toute réclamation ou recours que vous auriez pu avoir auprès du vendeur initial. Ainsi, même si les biens étaient défectueux, vous n'aviez d'autre choix que de continuer à faire vos paiements. Si vous arrêtiez de payer le cessionnaire, il pouvait alors saisir les biens, vous poursuivre ou prendre toute autre mesure permise par la législation provinciale. Ceci était très éprouvant et très injuste pour le consommateur.

Les législations provinciales et fédérales ont maintenant résolu la plupart de ces problèmes en prévoyant que toute réclamation ou recours pouvant être invoqué contre le vendeur puisse l'être également contre le prêteur.

EXEMPLE: ***B. a convenu d'acheter à crédit un congélateur et de la nourriture. Il a conclu un contrat de vente à tempérament avec S., qui vend ensuite le contrat à F., une société de crédit. Par la suite, B. découvre qu'on lui a vendu le congélateur trop cher, que la nourriture est de qualité médiocre et qu'une partie de celle-ci n'a pas été livrée. Il possède donc un certain nombre de réclamations contre S. en raison du non-respect du contrat et des fausses représentations. En vertu de la nouvelle législation, B. peut maintenant faire valoir ses droits contre F., qui ne peut forcer B. à faire les versements, pas plus qu'il ne peut saisir le congélateur jusqu'à ce qu'on respecte les droits de B. en vertu du contrat. En outre, B. peut annuler, dans certains cas, le contrat cédé (vendu) à F.***

Quels recours le vendeur a-t-il si j'ai consenti, par contrat, un nantissement mobilier?

Si vous ne faites pas les paiements sur un achat garanti par un nantissement mobilier que vous avez signé, le vendeur peut généralement saisir les biens impayés sans ordonnance du tribunal. Toutefois, il existe des lois limitant, dans certains cas, les droits de saisie du vendeur si vous avez déjà payé un montant substantiel.

EXEMPLE: ***En Colombie-Britannique, le créancier ne peut saisir les biens sans ordonnance du tribunal si vous avez payé au moins les 2/3 du montant dû en vertu du contrat.***

Qu'arrive-t-il si vous avez un cosignataire ou si vous avez consenti une cession de salaire?

Si vous avez un cosignataire et que vous arrêtez de faire les versements, le vendeur avisera généralement ce cosignataire et ce dernier devra faire les paiements.

Si vous arrêtez de faire vos paiements et que vous aviez antérieurement consenti une cession de salaire, le vendeur avisera votre employeur de déduire un certain montant de votre salaire et de le lui faire parvenir directement.

Qu'arrive-t-il si le crédit (prêt) n'est pas garanti?

Il s'agit d'un crédit pour lequel le prêteur (le vendeur) ne possède aucune garantie, comme dans le cas d'un compte de crédit dans un magasin. Dans ce genre de situation, le vendeur peut vous poursuivre si vous ne faites pas les paiements exigés; s'il gagne sa cause, il peut alors entreprendre des procédures de *saisie* ou d'*exécution*. Il est important de comprendre qu'un créancier garanti peut généralement invoquer d'abord la garantie afin d'obtenir remboursement et utiliser les procédures de saisie ou d'exécution pour le solde impayé: le créancier ordinaire n'a droit, pour sa part, qu'à la saisie et à l'exécution du jugement.

Si le créancier entreprend des poursuites judiciaires contre vous et gagne sa cause (obtient un jugement), on le qualifie alors de créancier d'un jugement.

Comment fonctionne la saisie-arrêt?

La saisie-arrêt est une procédure de perception de dette autorisée par la loi. Si le créancier obtient jugement contre vous, mais que vous ne le payez toujours pas, il peut alors exiger que votre employeur ou votre banque verse une partie de votre salaire, ou de vos revenus de toute autre source, auprès du tribunal, l'argent étant alors mis à la disposition des créanciers. Le créancier peut également pratiquer une saisie-arrêt de tout solde créditeur de vos comptes en banque; la banque et votre employeur sont tenus de respecter une ordonnance de saisie-arrêt, sinon, ils seront tenus responsables.

Les lois provinciales et territoriales ne permettent d'appliquer la saisie-arrêt qu'à un pourcentage seulement de votre salaire. Ce pourcentage varie selon chaque province et peut dépendre aussi du nombre de vos dépendants. Dans certaines provinces, le tribunal peut augmenter le pourcentage de salaire que vous pouvez conserver si vous prouvez que vous n'êtes pas en mesure de payer ce qu'on vous demande. De plus, on ne peut pratiquer une saisie-arrêt sur les prestations d'assurance-chômage, les prestations de bien-être social, les pensions de retraite fédérales ni, dans certains cas, sur le traitement des fonctionnaires.

Dans la plupart des provinces, il existe des dispositions législatives interdisant à votre employeur de vous congédier ou de vous suspendre parce qu'un créancier a pratiqué une saisie-arrêt sur votre salaire.

Quelle est la différence entre l'exécution et la saisie-arrêt?

Le créancier d'un jugement peut également obtenir une ordonnance d'un tribunal (appelée "bref d'exécution") qui lui permet de saisir ou de vendre votre maison ou vos biens personnels en vue d'obtenir remboursement de ce qui lui est dû. Il ne peut toutefois saisir tous vos biens puisque certains d'entre eux sont insaisissables. Ces exemptions varient beaucoup, selon la province de résidence, mais il s'agit généralement de la nourriture, des vêtements indispensables, du mobilier, ainsi que des outils et du matériel utilisés pour pratiquer un métier jusqu'à une certaine valeur. À Terre-Neuve, par exemple, les agrès de pêche sont insaisissables, tout comme les biens de famille (jusqu'à une certaine valeur) dans diverses provinces.

La protection contre le harcèlement

Existe-t-il des lois interdisant à mes créanciers de me harceler?

Tout au cours des procédures que l'on vient de décrire, certains créanciers pourraient essayer de vous menacer et de vous harceler. Les lois provinciales et territoriales énumèrent une série de méthodes de perception de dettes considérées illégales. Mentionnons, parmi celles-ci, le fait de percevoir un montant plus élevé que celui que vous devez; les lettres, appels téléphoniques ou autres communications qui vous inquiètent d'une façon indue; les communications avec votre employeur et le fait de communiquer avec vous au milieu de la nuit. La législation exige également que les agences de perception de dettes soient enregistrées ou qu'elles possèdent un permis.

Dans certains cas, les lettres ou les appels téléphoniques de menace, ou le harcèlement répété au moyen d'appels téléphoniques, constituent des infractions punissables en vertu du Code criminel du Canada.

Au Québec: la législation

La Loi sur le recouvrement de certaines créances impose des règles à respecter lors du recouvrement des créances. Il y est explicitement interdit:

- De faire une représentation fausse ou trompeuse (par exemple, de prétendre pouvoir saisir tous les biens du débiteur sans prendre les procédures appropriées);
- De faire du harcèlement, de proférer des menaces ou d'employer l'intimidation. Le fait de menacer d'exercer un recours prévu par la loi ne constitue cependant pas

une menace, sauf s'il s'agit d'un agent de recouvrement. Celui-ci ne peut davantage harceler ou menacer la famille, les voisins, l'employeur du débiteur ou toute autre personne;

- De faire croire que le débiteur sera arrêté ou sera l'objet de poursuites pénales s'il ne paie pas;
- De donner un renseignement qui peut causer un préjudice indu au débiteur, à sa caution ou à un membre de sa famille;
- D'utiliser un écrit qui peut être confondu avec un document émis ou utilisé par un tribunal ou le gouvernement (par exemple, du papier à en-tête d'un ministère);
- De communiquer avec un débiteur qui a avisé par écrit l'agent ou le créancier de s'adresser à son avocat;
- De réclamer une somme d'argent supérieure à celle due;
- De communiquer avec l'employeur ou les voisins du débiteur sauf pour obtenir l'adresse de ce dernier, ou si ces personnes l'ont cautionné pour la créance concernée. Dans tous les cas, l'agent doit s'identifier en déclinant ses nom et prénom, et nommer l'organisme qu'il représente s'il y a lieu.

De plus, tout agent de recouvrement, appelé aussi agent de collection, doit:

- Détenir un permis émis par le président de l'Office de la protection du consommateur;
- Fournir un cautionnement avec sa demande de permis. Ce cautionnement servira d'abord à indemniser une personne qui obtiendrait un jugement après avoir poursuivi un agent en vertu de la Loi;
- De tenir un compte en fiducie pour y verser l'argent reçu du débiteur, jusqu'à ce qu'il remette celui-ci au créancier pour lequel il l'a recouvré.

L'agent doit respecter les procédures de communication suivantes:

- Aucun agent de recouvrement ne peut communiquer oralement avec le débiteur tant qu'il ne lui a pas envoyé un avis de réclamation écrit;
- Toute communication orale postérieure doit avoir lieu de 8 h à 20 h les jours non fériés;
- Un agent doit toujours communiquer par écrit avec le débiteur qui lui a fait la demande, et ce pour les trois mois suivants la réception de l'avis écrit;
- Un agent ne peut communiquer avec un membre de la famille du débiteur que pour obtenir l'adresse de ce dernier, sauf si cette personne l'a cautionné pour la créance concernée;
- Un agent ne peut menacer de révéler à des personnes non parties du contrat concerné, ou menacer de publier le fait que le débiteur n'effectue pas ses paiements. Il ne peut pas non plus menacer de faire inscrire une mention défavorable à son dossier de crédit, par exemple;
- Il est aussi interdit à un agent de recouvrement de suggérer qu'à défaut de paiement, des poursuites judiciaires seront intentées, puisque ce droit ne lui appartient pas.

Que puis-je faire pour mettre un terme au harcèlement?

Si vous êtes victime de harcèlement, communiquez avec le bureau de conseillers en crédit le plus près de chez vous. Dans certains cas, on pourra vous aider à réorganiser vos paiements de façon que vous puissiez faire face à vos échéances. Si vos problèmes d'endettement sont toutefois trop sérieux, on vous recommandera peut-être de faire une déclaration de faillite personnelle. Si c'est là la meilleure solution, demandez aux conseillers de vous indiquer les nom et adresse d'un syndic qui pourrait prendre charge de votre cas.

Les bureaux provinciaux de protection du consommateur peuvent vous orienter vers un bureau de conseillers en crédit.

Annexe

A. L'emprunt

1. Comparez les conditions de crédit
2. Rapports de crédit et renseignements personnels

Provinces

Terre-Neuve	Credit Reporting Agencies Act
Nouvelle-Écosse	Consumer Reporting Act
Nouveau-Brunswick	*
Île-du-Prince -Édouard	Consumer Reporting Act
Québec	Loi sur la protection du consommateur
Ontario	Consumer Reporting Act
Manitoba	Loi relative aux enquêtes sur les particuliers
Saskatchewan	Credit Reporting Agencies Act
Alberta	*

---

* Aucune législation particulière

Colombie-Britannique	Credit Reporting Act
Territoires du Nord-Ouest	*
Yukon	*

3. Publicité sur le crédit

Provinces et territoires

Terre-Neuve	Consumer Protection Act, a. 16, 20
Nouvelle-Écosse	Consumer Protection Act, a. 14, 18
Nouveau-Brunswick	Loi sur la divulgation du coût du crédit, a. 13, 18
Île-du-Prince-Édouard	Consumer Protection Act, a. 15, 21
Québec	Loi sur la protection du consommateur, a. 244-47
Ontario	Consumer Protection Act, a. 41, 47
Manitoba	Loi sur la protection du consommateur, a. 26, 27
Saskatchewan	Cost of Credit Disclosure Act, a. 12

* Aucune législation particulière.

Alberta	Credit and Loan Agreements Act, a. 15.3, 15.4
Colombie-Britannique	Consumer Protection Act (1967), a. 15
Territoires du Nord-Ouest	Consumer Protection Ordinance, a. 27, 28
Yukon	Consumer Protection Ordinance, a. 27, 28

4. Genres de crédit
   a) Crédit variable (Cartes de crédit)
   Législation relative aux cartes de crédit non sollicitées

Provinces

Terre-Neuve	Unsolicited Goods and Credit Cards Act, a. 5
Nouvelle-Écosse	Consumer Protection Act, a. 20A (le consommateur n'est pas responsable à moins d'avoir demandé ou accepté la carte)
Nouveau-Brunswick	Loi sur la divulgation du coût du crédit, par. 14(2) (interdiction d'émettre une carte non sollicitée)
Île-du-Prince-Édouard	Consumer Protection Act, a. 19 (interdiction d'envoyer une carte non sollicitée)

Québec	Loi sur la protection du consommateur, a. 120, 124 (interdiction d'émettre une carte non sollicitée; responsabilité limitée à 50$ pour les cartes perdues ou volées)
Ontario	Consumer Protection Act, par. 46(2) (le consommateur n'est pas responsable à moins d'avoir demandé ou accepté la carte)
Manitoba	Loi sur la protection du consommateur, a. 114, 116 (interdiction d'émettre une carte non sollicitée; responsabilité limitée à 50$ pour les cartes perdues ou volées)
Saskatchewan	Unsolicited Goods and credit Cards Act, a. 3
Alberta	Credit and Loan Agreements Act, a. 15.2, 15.21 (interdiction d'émettre une carte non sollicitée; responsabilité limitée à 50$ pour les cartes perdues ou volées)
Colombie-Britannique	Consumer Protection Act (1967), a. 16 (le consommateur n'est pas responsable à moins d'avoir accepté la carte)
Territoires du Nord-Ouest	*

* Aucune législation particulière

Yukon	*

b) Crédit consenti par le prêteur ou le vendeur
Législation stipulant les renseignements que doit contenir un contrat de crédit

Provinces et territoires

Terre-Neuve	Consumer Protection Act, a. 17, 18
Nouvelle-Écosse	Consumer Protection Act, a. 15, 16
Nouveau-Brunswick	Loi sur la divulgation du coût du crédit et son règlement, a. 15, 16
Île-du-Prince-Édouard	Consumer Protection Act, a. 16-18
Québec	Loi sur la protection du consommateur, a. 115, 125, 126
Ontario	Consumer Protection Act, a. 31, 36
Manitoba	Loi sur la protection du consommateur, a. 4-7, 13, 19, 20, 23
Saskatchewan	Cost of Credit Disclosure Act, a. 3, 4, 10
Alberta	Credit and Loan Agreements Act, a. 11, 12, 15

---

* Aucune législation particulière.

Colombie-Britannique	Consumer Protection Act (1967), a. 11
Territoires du Nord-Ouest	Consumer Protection Ordinance, a. 5, 6, 13, 24
Yukon	Consumer Protection Ordinance, a. 5, 6, 13, 14

c) Législation relative aux escompteurs de remboursement d'impôt

Loi fédérale	Loi sur la cession du droit au remboursement en matière d'impôt

Provinces

Terre-Neuve	Income Tax Discounters Act
Nouvelle-Écosse	Consumer Protection Act (aucun remboursement minimum requis, mais obligation d'indiquer le coût de l'emprunt)
Nouveau-Brunswick	*
Île-du-Prince-Édouard	*
Québec	*
Ontario	*
Manitoba	Loi (provinciale) de l'impôt sur le revenu (remboursement minimum de 95 p. 100)

* Aucune législation particulière.

Saskatchewan	Income Tax Act (remboursement minimum de 95 p. 100)
Alberta	Credit and Loan Agreements Act (aucun remboursement minimum requis, mais obligation d'indiquer le coût de l'emprunt)
Colombie-Britannique	Consumer Protection Act
Territoires du Nord-Ouest	*
Yukon	*

5. Intérêts
   a) Législation limitant le montant d'intétêt sur les prêts

Loi fédérale	Code criminel, a. 305.1 (Projet de loi C-44, 1980)

   b) Législation permettant aux tribunaux d'accorder un recours aux consommateurs contre les taux d'intérêt excessifs

Loi fédérale	Loi sur l'intérêt

Provinces

Terre-Neuve	Unconscionable Transactions Relief Act
Nouvelle-Écosse	Unconscionable Transactions Relief Act

---

* Aucune législation particulière

Nouveau-Brunswick	Loi sur le rendement des opérations de prêts exorbitants
Île-du-Prince-Édouard	Unconscionable Transactions Relief Act
Québec	Code civil, Article 1040(c) Loi sur la protection du consommateur, a. 8, 9
Ontario	Unconscionable Transactions Relief Act
Manitoba	Loi sur les recours contre le prêt usuraire
Saskatchewan	Unconscionable Transactions Relief Act
Alberta	Unconscionable Transactions Act
Colombie-Britannique	Consumer Protection Act (1967), a. 18, 19 Trade Practice Act, a. 4 Consumer Protection Act, a. 43, 44
Territoires du Nord-Ouest	*
Yukon	*

* Aucune législation particulière

6. Garanties sur les prêts
Législation relative aux cessions de salaire

Provinces et territoires

Terre-Neuve	Attachment of Wages Act (cession de salaire légale jusqu'à la limite d'insaisissabilité; toute cession dépassant ce montant est interdite)
Nouvelle-Écosse	Labour Standards Code, a. 85 (cession de salaire illégale)
Nouveau-Brunswick	Loi sur les normes minimales d'emploi (cession de salaire illégale)
Île-du-Prince-Édouard	Cession de salaire non interdite
Québec	Cession de salaire non interdite
Ontario	Wages Act, par. 7(6) et (7) (la loi permet seulement les cessions de salaire en faveur des caisses d'économie (Credit Unions), sous réserve des limites d'insaisissabilité)
Manitoba	Loi sur les droits patrimoniaux, par. 32(5) (cession de salaire légale jusqu'à la limite d'insaisissabilité)

Saskatchewan	Assignment of Wages Act, a. 3-6 (cession de salaire illégale sauf en faveur des caisses d'économie (Credit Unions) au lieu d'emploi, et des vendeurs d'outils requis aux fins d'emploi)
Alberta	Wage Assignments Act, a. 2 (les cessions de salaire en faveur des institutions prêteuses sont illégales)
Colombie-Britannique	Employment Standards Act, a. 112, 145 (l'employeur doit respecter les cessions de salaire en faveur des syndicats, des organisations de bienfaisance, des régimes de retraite, des assureurs médicaux, des banques et des caisses d'économie)
Territoires du Nord-Ouest	Cessions de salaire légales
Yukon	Cessions de salaire légales

B. Si vous ne pouvez payer

1. Options du débiteur

Loi fédérale	Loi sur la faillite

2. Options du créancier
   a) Crédit assorti de garanties
      i) Législation relative aux ventes à tempérament

Provinces et territoires

Terre-Neuve	Conditional Sales Act
Nouvelle-Écosse	Conditional Sales Act
Nouveau-Brunswick	Loi sur les ventes conditionnelles
Île-du-Prince-Édouard	Conditional Sales Act
Québec	Loi sur la protection du consommateur
Ontario	Personal Property Security Act
Manitoba	Loi sur la protection du consommateur Loi sur le nantissement
Saskatchewan	Conditional Sales Act Limitation of Civil Rights Act, a. 19
Alberta	Conditional Sales Act
Colombie-Britannique	Sale of Goods on Condition Act Chattel Mortgage Act
Territoires du Nord-Ouest	Consumer Protection Ordinance
Yukon	Consumer Protection Ordinance

ii) Législation prévoyant que l'acheteur ou emprunteur dispose des mêmes recours à l'égard du concessionnaire du contrat qu'à l'égard du vendeur initial

Loi fédérale	Loi sur les lettres de change, Partie V "Lettres et billets du consommateur", a. 191 (droit du détenteur d'une lettre ou d'un billet de consommateur)
Provinces et territoires	
Terre-Neuve	Consumer Protection Act, a. 22A
Nouvelle-Écosse	Consumer Protection Act, a. 20B
Nouveau-Brunswick	Loi sur la divulgation du coût du crédit, a. 22
Île-du-Prince-Édouard	Consumer Protection Act, a. 23
Québec	Loi sur la protection du consommateur, a. 103
Ontario	Consumer Protection Act, a. 42a
Manitoba	Loi sur la protection du consommateur, a. 67
Saskatchewan	Cost of Credit Disclosure Act, a. 17

Alberta — Conditional Sales Act, a. 18.1

Colombie-Britannique — Consumer Protection Act (1967), a. 17
Trade Practice Act, s. 1

Territoires du Nord-Ouest — Consumer Protection Ordinance, a. 67

Yukon — Consumer Protection Ordinance, a. 68

b) Poursuites judiciaires
i) Législation relative à l'insaisissabilité

Provinces et territoires

Terre-Neuve — Attachment of Wages Act, a. 2, 5

Nouvelle-Écosse — Civil Procedures Rules, Règle 53.05(a)
Labour Standards Code, a. 27 (interdiction de congédier un employé en raison d'une saisie sur son salaire)

Nouveau-Brunswick — Loi sur la saisie-arrêt, a. 31 (salaire pour travail et service personnel est totalement insaisissable)

Île-du-Prince-Édouard — Garnishee Act, a. 17

Québec — Code de procédure civile, articles 552, 553, 650 (interdiction de congédier un employé à cause d'une saisie de salaire; si

	le cas se produit, l'employé ou le créancier peut poursuivre l'employeur pour dommages et intérêts)
Ontario	Wages Act, a. 7 Employment Standards Act, a. 9 (interdiction de congédier un employé à cause d'une saisie de salaire)
Manitoba	Loi sur la saisie-arrêt, a. 6, 9(2) Loi sur les normes d'emploi, s. 37 (interdiction de congédier un employé à cause d'une saisie de salaire)
Saskatchewan	Attachment of Debts Act, a. 22
Alberta	Execution Creditors Act, a. 6 Rules of Court, Règle 483
Colombie-Britannique	Court Order Enforcement Act, a. 4, 29 (interdiction de congédier un employé à cause d'une saisie de salaire)
Territoires du Nord-Ouest	Judicature Ordinance, a. 24 (prévoit que les Rules of Courts de l'Alberta s'appliquent dans les Territoires du Nord-Ouest)
Yukon	Garnishee Ordinance, a. 17

ii) Législation prévoyant l'exécution des jugements contre des biens autres que le salaire. Règles d'insaisissabilité

Provinces et territoires

Terre-Neuve	Judicature Act, a. 99
Nouvelle-Écosse	Judicature Act, a. 41
Nouveau-Brunswick	Loi sur les extraits de jugements et les exécutions, a. 33
Île-du-Prince-Édouard	Judgment and Execution Act, a. 25
Québec	Code de procédure civile, articles 552-3
Ontario	Execution Act, a. 2
Manitoba	Loi sur l'exécution des jugements, a. 30
Saskatchewan	Exemptions Act, a. 2
Alberta	Exemptions Act, a. 2
Colombie-Britannique	Court Order Enforcement Act, a. 65
Territoires du Nord-Ouest	Exemptions Ordinance, a. 3
Yukon	Exemptions Ordinance, a. 3

d) Harcèlement
Législation relative aux pratiques des agences de perception

Loi fédérale Code criminel, a. 330(3), 331

Provinces et territoires

Terre-Neuve	Collection Agencies Act
Nouvelle-Écosse	Collection Agencies Act
Nouveau-Brunswick	Loi sur les agences de recouvrement
Île-du-Prince-Édouard	Collecting Agencies Act
Québec	Loi sur les agences de recouvrement
Ontario	Collection Agencies Act
Manitoba	Loi sur la protection du consommateur, Partie XII
Saskatchewan	Collection Agents Act
Alberta	Collection Practices Act
Colombie-Britannique	Debt Collection Act
Territoires du Nord-Ouest	Consumer Protection Ordinance, a. 71, 91
Yukon	Consumer Protection Ordinance, a. 71, 74

Organismes d'aide aux débiteurs

Provinces

Nouvelle-Écosse	Debtor Assistance Division Department of Consumer Affairs C.P. 998 Halifax (Nou-

velle-Écosse) B3J 2X3 Tél.: (902) 424-5575

ou

Bureaux régionaux du Department of Consumer Affairs (énumérés aux pages 223 à 225)

Québec

Pour obtenir des renseignements au sujet de l'application de la Loi des dépôts volontaires, contactez la Cour provinciale aux endroits suivants:

37, rue Saint-Louis
Québec (Québec)

1, rue Notre-Dame est
Bureau 6012
Montréal (Québec)

Ville de Hull
La Maison du Citoyen
25, rue Laurier
Hull (Québec) J8X 4C8

ou

Renseignez-vous au Palais de Justice, dans tous les autres endroits.

Ontario

Bureau du greffier
Tribunal des petites créances
425, avenue University
Toronto (Ontario) M5G 1T6
Tél.: (416) 679-7128

ou

Registraires à Sudbury,
Hamilton ou London

Alberta

Family Assistance
Counselling
Alberta Consumer and
Corporate Affairs
Bureau 890 — Pacific 66 Plaza
700, 6e Avenue s.-o.
Calgary (Alberta) T2P 0T8
Tél.: (403) 261-7260

ou

Bureaux du Department of
Consumer and Corporate
Affairs de l'Alberta
(énumérés aux pages 229 à 231)

Colombie-Britannique

Consumer Credit and Debtor
Assistance
Ministry of Consumer and
Corporate Affairs
940, rue Blanshard
Victoria
(Colombie-Britannique)
V8W 3E6
Tél.: (604) 387-3531

ou

Bureaux du Credit and Debtor
Assistance à Kamloops,
Nanaimo,
Prince George ou Vancouver

Services privés

Pour obtenir les adresses de services privés ou volontaires sur le crédit, adressez-vous au bureau de la Protection du consommateur de votre région (voir les pages 222 à 232.)

Services fédéraux

Afin de connaître vos recours en vertu de la Loi sur la faillite, communiquez avec le responsable régional (Insolvabilité) de Consommation et Corporations Canada, à l'une des adresses suivantes:

6e étage
Édifice de la Banque
de Montréal
5151, rue George
Halifax (Nouvelle-Écosse)
B3J 1M5
Tél.: (902) 426-6099

5e étage
Édifice Sir Humphrey Gilbert
Rue Duckworth
St. John's (Terre-Neuve)
Tél.: (709) 737-5411

2e étage
Édifice Norwich Union
100, rue Cameron
Moncton
(Nouveau-Brunswick)
E1C 5Y6
Tél.: (506) 858-2153

Bureau 1801
Édifice de la Banque
de Montréal
800, carré d'Youville
Québec (Québec) G1R 3P4
Tél.: (418) 694-4280

Bureau 510
Édifice du Trust Royal
25, rue Wellington nord
Sherbrooke (Québec) J1H 5B1
Tél.: (819) 565-4761

Édifice Charpentier
10, rue Notre-Dame est
Montréal (Québec) H2Y 1B7
Tél.: (514) 283-4794

240, rue Bank
Édifice Brunswick
Ottawa (Ontario) K2P 1X2
Tél.: (613) 996-3964

7e étage
25, avenue St. Clair est
Toronto (Ontario) M4T 1M2
Tél.: (416) 996-6486

4e étage
Edifice Union Gas
20, rue Hughson sud
Hamilton (Ontario) L8N 2A1
Tél.: (416) 523-2991

3e étage
214, rue York
London (Ontario) N6A 1B4
Tél.: (519) 679-4034

767, rue Barrydowne
Sudbury (Ontario) P3A 3T6
Tél.: (705) 566-6770

Bureau 201
260, avenue St. Mary
Winnipeg (Manitoba)
R3C 0M6
Tél.: (204) 949-3229

2212, rue Scarth
Regina (Saskatchewan)
S4P 2J6
Tél.: (306) 569-5391

279, 3e Avenue nord
Saskatoon (Saskatchewan)
S7K 2H8
Tél.: (306) 665-4298

Édifice Oliver
10225, 100e Avenue
Edmonton (Alberta) T5J 0A1
Tél.: (403) 425-6959
(403) 425-7030

Édifice Barnett
1008, 7e Avenue s.-o.
Calgary (Alberta) T2P 1A7
Tél.: (403) 231-5607
(403) 231-5616

The Pacific Centre
C.P. 10066, 25e étage
700, rue Georgia ouest
Vancouver
(Colombie-Britannique)
V7Y 1C9
Tél.: (604) 666-3301

Chapitre IV

L'achat ou la vente d'une maison*

* Ce chapitre concerne une maison déjà construite. Si vous avez l'intention de faire construire une maison ou de rénover celle que vous possédez déjà, veuillez consulter la section relative aux privilèges à la page 61.

Chacun rêve de posséder un jour sa maison. Pour ceux qui réalisent leur rêve, l'achat d'une maison est probablement la transaction la plus importante qu'ils feront de toute leur vie. Pourtant, il arrive souvent que la législation qui protège les consommateurs pour toute autre forme de contrat ne s'applique pas à la vente ou à l'achat d'une maison. Il importe donc de prendre le temps de réfléchir aux conséquences des décisions que cela suppose. Celles-ci entraînent des conséquences juridiques sérieuses à chaque étape de la transaction: il serait sage de retenir les services d'un notaire** pour vous conseiller sur tous les points de droit.

Ce chapitre n'a *pas* la prétention de servir de guide pour l'achat ou la vente d'une maison. Il résume simplement certains principes juridiques que vous avez intérêt à connaître avant de vous engager sur le marché immobilier pour acquérir une maison, un appartement en copropriété ou une maison mobile.

L'étape initiale: l'"offre d'achat"

On offre généralement d'acheter une maison en remplissant une formule d'"offre d'achat" standard. Cette formule prévoit toutes les conditions essentielles de la transaction, telles que la description de la propriété et les modalités de paiement. Ce document contient également toute condition restrictive concernant l'offre; celle-ci, par exemple, peut être "conditionnelle" à la vente de votre maison actuelle ou à la réparation d'une clôture brisée.

Le vendeur peut accepter votre offre, la refuser ou la modifier, en posant ses conditions ou en suggérant un prix dif-

** Au Québec, le notaire s'occupe des transactions immobilières. Aillleurs, c'est l'avocat.

férent, dans un document qu'on appelle la "contre-offre" du vendeur.

Il faut être conscient que si votre offre d'achat est acceptée, elle constitue un contrat qui vous lie et que l'autre partie pourra faire exécuter. Les conditions ne peuvent en être changées par la suite à moins d'obtenir le consentement de toutes les parties. Par conséquent, l'offre d'achat est, à de nombreux égards, beaucoup plus importante que les titres de transfert de propriété qui seront éventuellement signés.

Les points qui intéressent le vendeur

La commission du courtier

De nombreux contrats d'inscription conclus avec des agents immobiliers contiennent une clause obligeant le vendeur à verser la commission même si la vente achoppe sans que le vendeur soit fautif. Ayez soin de radier cette clause avant de signer le contrat.

En outre, la commission du courtier n'est pas fixe: elle est tout à fait *négociable.* Bien qu'elle soit généralement de 6 p. 100 du prix d'achat total de la propriété, les courtiers ne pousseront pas l'obligeance jusqu'à vous suggérer de comparer les taux ou de négocier le leur.

Vous paierez également une commission inférieure si l'inscription de votre propriété auprès de l'agence immobilière est "exclusive" plutôt que "multiple". Bon nombre de gens estiment que leur maison est suffisamment annoncée sans encourir les frais supplémentaires qu'entraîne l'inscription multiple.

Les offres conditionnelles

Vous devriez être très prudent avant d'accepter une offre assortie de la condition que l'acheteur doit vendre la maison qu'il possède déjà ou obtenir un certain mode de financement, tout particulièrement si ces dispositions ne prévoient aucun délai. Cela pourrait vous empêcher de vendre votre maison à un autre acheteur éventuel. Exigez donc une modification de l'offre avant de l'accepter, soit en prévoyant un délai, soit en ajoutant une clause qui vous autorise à accepter une autre offre dans le délai prévu (sous réserve du droit du premier acheteur de renoncer à la condition et de conclure la transaction).

Les points qui intéressent l'acheteur

Les "suppléments" compris dans la vente

Retenez que vous n'obtiendrez que ce qui est nommément décrit dans l'offre d'achat, à moins qu'un article quelconque fasse effectivement partie de l'immeuble. Ainsi, un four encastré serait normalement compris dans le contrat d'achat, tandis qu'une cuisinière autonome ne le serait pas. Par conséquent, si vous avez convenu que les moquettes, les rideaux ou les appareils ménagers font l'objet du contrat, vous devriez énumérer ces articles dans l'offre d'achat, sinon le vendeur pourra les garder.

Les vices cachés

Si vous entretenez quelque doute sur l'état des lieux, demandez à un constructeur, un architecte ou un inspecteur immobilier de les examiner pour en déceler les défauts. Cela vous occasionnera des dépenses, mais vous évitera de payer des réparations majeures par la suite. Si vous décidez d'acheter une maison qui exige de telles réparations, le prix offert devrait en tenir compte: il serait sage d'obtenir une estimation des réparations nécessaires avant d'arrêter le prix que vous êtes disposé à payer.

Les arrhes

Si l'on exige des arrhes à titre d'acompte pour prouver votre bonne foi, assurez-vous que la somme est déposée dans un véritable compte d'épargne et que les intérêts vous sont versés éventuellement.

Les offres conditionnelles

Si votre achat dépend de la vente de votre maison actuelle, l'offre doit stipuler cette condition, sinon vous pourriez avoir des versements à faire sur deux maisons à la fois.

Si votre achat dépend de l'obtention de crédit auprès d'une certaine institution ou à un certain taux, vous devriez également énoncer cette condition dans l'offre d'achat.

La vérification des titres

Chargez votre notaire de vérifier si quelque hypothèque, privilège, jugement ou autre servitude grèvent la propriété: vous pourriez être tenu de payer ces dettes en plus du prix d'achat. Un titre incontestable est une condition essentielle de toute offre d'achat. Le notaire devrait confirmer l'incontestabilité des titres lors de la signature de l'offre d'achat et de nouveau lors de la signature du contrat définitif.

Le zonage

Avant de faire une offre, vérifiez bien les règlements municipaux et de zonage. Il serait utile de savoir si deux familles ont le droit de vivre dans la même maison, si vous pouvez loger un pensionnaire, si vous pouvez bâtir un garage ou faire d'autres modifications. Il est également opportun de préciser dans l'offre qu'elle est "conditionnelle à" l'utilisation des lieux à des fins précises, si telle est votre intention.

Les maisons "usagées"

Si vous achetez une maison déjà habitée, vous n'avez qu'un mince recours juridique pour les vices cachés. Vous devez donc vous assurer que la maison est dans un état satisfaisant avant de présenter une offre d'achat; veuillez consulter la section juridique de ce chapitre à la page 144.

Si un courtier immobilier vous a induit en erreur au sujet de l'état d'une maison déjà habitée, qu'il l'ait fait délibérément ou par négligence, vous pouvez obtenir des dommages et intérêts, mais il faudrait intenter des poursuites contre lui.

Vous pourriez également vous plaindre à la chambre d'immeuble locale et au bureau provincial de la protection du consommateur. Les chambres d'immeuble s'efforcent de réglementer le courtage immobilier au moyen d'un code de déontologie que les membres doivent respecter. Par ailleurs, la plupart des provinces et des territoires ont adopté des règlements obligeant les courtiers et vendeurs à détenir un permis. (Voir la liste des adresses des bureaux provinciaux de la protection du consommateur à la page 222.)

Des conseils juridiques

Il faut vérifier soigneusement tous ces points, la plupart de nature juridique, *avant* de signer l'entente. Même si vous vous croyez apte à tout faire vous-même, cela risque d'être long et pourrait se révéler peu réaliste. Si vous n'avez pas de notaire, cherchez-en un qui est compétent et dont les honoraires sont raisonnables, tout comme vous rechercheriez le meilleur fournisseur d'autres biens et services. Vos amis et vos relations peuvent vous indiquer le nom de notaires dont ils ont déjà retenu les services; vous pouvez ensuite téléphoner à leur étude pour vous renseigner sur les services offerts et les honoraires exigés.

La passation du contrat

La passation

Une fois toutes les conditions remplies (obtention du financement, réparation des clôtures, etc.), la transaction a lieu au cours d'une réunion de conclusion entre le vendeur et vous-même ou entre vos fondés de pouvoir.

Les frais de la transaction

Attendez-vous à payer à ce moment les frais de la transaction qui peuvent se révéler substantiels (par exemple, le paiement des honoraires du notaire pour la recherche des titres et pour l'enregistrement du transfert de propriété).

L'emprunt hypothécaire

Ce que tout vendeur devrait savoir

- *Pénalités pour le règlement d'une hypothèque avant terme*

Sachez que vous pourriez être tenu de payer une pénalité si vous remboursez une hypothèque avant l'échéance. La somme peut être substantielle (généralement, l'intérêt couru pendant trois mois) et elle atteint fréquemment plusieurs milliers de dollars.

- *L'acheteur peut assumer l'hypothèque existante*

Si votre propriété est encore hypothéquée, l'acheteur peut assumer l'hypothèque plutôt que de chercher à en contracter une nouvelle; c'est-à-dire que l'acheteur consent à faire à votre place les versements hypothécaires.

Cette pratique présente un avantage puisque les taux d'intérêts sur les anciennes hypothèques sont souvent moins élevés. Cependant, l'acheteur devra satisfaire les exigences de solvabilité du créancier hypothécaire.

Ce que tout acheteur devrait savoir

Il peut être tout aussi important de prendre une décision réfléchie au sujet de l'emprunt que vous devez faire que sur le choix de la maison elle-même. La plupart des gens doivent emprunter une partie importante du coût de la maison. Puisque les taux d'intérêts et les autres conditions varient, vous devriez prendre le temps de soumettre vos besoins à un certain nombre de prêteurs avant d'arrêter votre décision. Le montant qu'on vous prêtera dépend de plusieurs facteurs.

• *Les limites des prêts hypothécaires*

On considère généralement que les mensualités hypothécaires (y compris la taxe foncière) ne devraient pas représenter plus de 25 à 30 p. 100 du revenu mensuel brut (c'est-à-dire le revenu total, avant l'impôt direct et les autres retenues). De nombreux prêteurs se fient à ce critère. Toutefois, certains prennent en compte le revenu familial total, tandis que d'autres ne retiennent que le revenu d'une seule personne; d'autres encore se fondent sur le revenu total d'un membre de la famille et sur une partie seulement du revenu d'un autre membre.

Le montant du prêt consenti est également fonction de la valeur de la propriété et les prêteurs exigeront le rapport d'un évaluateur pour le fixer. (Bien que l'évaluation soit à vos frais, elle n'est préparée que pour un seul prêteur et ne pourra servir aux autres que vous aurez peut-être approchés. Chaque banque ou institution prêteuse à laquelle vous vous adresserez exigera une évaluation distincte que vous serez tenu de payer.)

La loi fédérale sur les banques limite le montant que ces institutions peuvent prêter sur hypothèque conventionnelle à 75 p. 100 de la valeur de la propriété. Cette proportion peut être supérieure si le prêt est garanti par la Société canadienne d'hypothèques et de logement (S.C.H.L.) ou par un assureur hypothécaire privé.

• *Les conditions de l'hypothèque*

Les prêts hypothécaires sont généralement remboursables (amortissables) sur une période de 20 ou 25 ans. Cela signifie que les mensualités se calculent comme si l'emprunt devait être remboursé sur 20 ou 25 ans, même si l'entente doit être renégociée au bout de trois ans ou moins. Une brève période d'amortissement entraîne des versements élevés, mais représente par ailleurs des économies substantielles d'intérêts.

Les hypothèques de cinq ans ont déjà connu une grande faveur. Toutefois, on tend maintenant à en limiter la durée à un, deux ou trois ans. Quel que soit le terme, vous serez tenu de rembourser l'emprunt au taux convenu jusqu'à la fin de ce terme, la renégociation intervenant alors. (Dans l'intervalle, les taux d'intérêts auront pu augmenter ou diminuer et la situation aura pu affecter les autres conditions.) Ce genre d'hypothèque "à période fixe" ne peut généralement être remboursée avant terme sans payer une pénalité (généralement trois mois d'intérêts). Les hypothèques dites "ouvertes", qu'on peut rembourser en tout temps, comportent des taux généralement plus élevés.

Les hypothèques "à paiements progressifs" deviennent également de plus en plus courantes. Ce genre de contrat prévoit des paiements initiaux modestes, mais qui augmentent chaque année de 5 p. 100 jusqu'à un maximum prédéterminé (à mesure que votre revenu s'accroît). Ces hypothèques coûtent plus cher que celles qui se remboursent par versements égaux. Toutefois, il pourrait être avantageux d'envisager cette solution si vous prévoyez une amélioration sensible de votre situation à moyen et à long termes.

• *Les taux d'intérêt*

Un simple écart de 1 p. 100 dans le taux d'intérêt peut sembler négligeable; toutefois, cela peut affecter sensiblement les mensualités et augmenter de façon importante le coût de l'emprunt.

EXEMPLE: ***A. emprunte une somme de 50 000$ à 14 p. 100, remboursable en 25 ans. Les paiements mensuels s'élèvent à 586,94$ et, à la fin de l'hypothèque, il aura payé un total de 176 082$.***
B. emprunte le même montant à 15 p. 100, également remboursable en 25 ans. Les paiements mensuels sont de 623,08$ et il aura payé 186 924$ au terme de l'hypothèque: presque 11 000$ de plus.

• *Programmes d'aide gouvernementale*

L'acheteur d'une habitation peut s'enquérir des possibilités d'aide offertes par divers paliers de gouvernement à ceux et à celles qui ont l'intention de devenir propriétaires.

Les régimes d'épargne logement, le Programme québécois d'accession à la propriété, le programme Corvée habitation du Québec, certaines subventions accordées par le gouvernement fédéral et les municipalités peuvent dans certaines conditions réduire sensiblement les coûts en capital et intérêts de l'acquisition d'une propriété. Ces diverses formes d'aide sont administrées par la Société canadienne d'hypothèques et de logement, la Société d'habitation du Québec et les municipalités.

La copropriété divise ("condominium")

Définition

Un logis acheté en copropriété divise est rattaché à d'autres logis appartenant à d'autres personnes (ou est au moins construit sur le même terrain). La copropriété divise comporte deux éléments essentiels:

- La propriété se divise en deux parties:

1) les pièces appartenant en propre à chacun des propriétaires;
2) les espaces communs à l'usage de tous les propriétaires de logements: entrées, installations récréatives et, parfois, toits, garages, ascenseurs, terrains et corridors.

- Les propriétaires de logis administrent eux-mêmes le complexe par l'intermédiaire d'une société de copropriétaires. La société élit un conseil d'administration pour gérer la propriété et les aires communes.

Avant d'acheter un logement en copropriété divise, vous devriez vous renseigner sur les aspects délicats de cette formule.

Le droit de vote

Le mode de scrutin peut affecter l'élection du conseil d'administration et la gestion des aires communes. Il arrive que chaque propriétaire détienne un certain nombre de votes selon l'importance du logis qu'il possède. Par conséquent, il est possible que les propriétaires des logis les plus chers aient une voix prépondérante dans les affaires de la société.

Les arrangements de complaisance

Les copropriétaires peuvent également avoir à subir l'effet d'une entente de complaisance confiant la gestion du complexe au promoteur tant que tous les logements ne sont pas vendus. Une telle entente peut lier la société au promoteur pendant une longue période et accorder à ce dernier des honoraires exagérés pour administrer et entretenir la propriété.

Il arrive que le promoteur se réserve la propriété d'un ou plusieurs logis et rédige les règlements de copropriété de telle façon que les votes qu'il possède lui donnent un contrôle permanent sur les décisions de la société. Si vous vous proposez d'acheter un logement en copropriété, méfiez-vous de ce genre d'arrangement.

L'enregistrement

La plupart des provinces exigent que les complexes de copropriété soient enregistrés avant la vente des logements. Il arrive quand même que certains promoteurs "vendent" des logis non enregistrés et encaissent un loyer considérable qui ne s'applique pas au prix d'achat.

Si vous envisagez d'acheter un nouveau logement en copropriété, renseignez-vous d'abord pour savoir si le complexe est enregistré. C'est à cette condition seulement que vous obtiendrez votre titre de propriété. Si l'enregistrement n'a pas eu lieu, tout ce que vous obtenez du promoteur est un engagement de vous transférer les titres lorsque la copropriété sera enregistrée (si elle l'est jamais). Veuillez vous renseigner sur les modalités d'enregistrement en communiquant avec le ministère chargé de protéger les consommateurs dans votre province.

L'entretien

Il importe de connaître la nature et la superficie des lieux que vous achetez. Ainsi, il faut savoir si le toit et les murs font partie du logement ou des aires communes. Si le logement comprend les murs extérieurs ou le toit, vous serez responsable des ennuis de plomberie, d'électricité ou d'étanchéité qui pourraient s'y manifester. Par contre, si ces structures sont communes, c'est la société qui devra faire exécuter les réparations.

La société de copropriétaires s'acquitte de ses charges d'entretien en prélevant une mensualité auprès de ses membres. Le montant pourra varier et, bien sûr, augmentera en période d'inflation, particulièrement si la copropriété est un complexe ancien où s'imposent des réparations majeures.

En règle générale, plus il y a d'aires communes, plus les frais d'entretien sont élevés. Certains services supplémentaires (réceptionnistes ou gardiens) augmentent aussi les frais. L'entretien de logements en rangée coûte souvent moins cher que celui des grands édifices à cause de l'absence de garages et d'ascenseurs.

Habituellement, une partie des cotisations d'entretien sert à constituer une réserve pour les réparations majeures éventuelles. Ce fonds de réserve est l'un des actifs que le conseil d'administration doit gérer et investir; si la réserve n'est pas suffisante pour payer les dépenses imprévues, les directeurs devront emprunter les fonds nécessaires et administrer la dette.

La copropriété indivise

Dans la copropriété indivise, chaque propriétaire n'est pas propriétaire de son logement mais d'une partie de l'ensemble immobilier. Ainsi, lorsque 3 personnes achètent ensemble un immeuble de 3 logements, chaque propriétaire indivise est propriétaire d'un tiers de l'immeuble. Aucun n'a de droit exclusif de propriété sur le logement qu'il entend occuper. En conséquence, le consentement unanime des copropriétaires est requis au moment des décisions importantes relativement à l'immeuble (vente ou location d'une partie de l'immeuble, hypothèque, servitude, etc.). Pour éviter les conflits, les copropriétaires indivises doivent établir entre eux une convention prévoyant les règles de fonctionnement de la copropriété et établissant les normes qui s'appliqueront lors de la vente ou de la location d'une unité de logement ou du décès d'un copropriétaire.

Depuis juin 1981, dans les immeubles de 5 logements ou plus, il est interdit à un indivisaire qui vient d'acheter, d'expulser un locataire pour prendre possession d'un logement (magazine *Justice*, volume IV, numéro 2).

La coopérative d'habitation

Une coopérative d'habitation est un organisme sans but lucratif constitué en vertu de la Loi québécoise sur les associations coopératives. La coopérative, constituée par des membres qui ont souscrit une part sociale, achète un immeuble. Les membres obtiennent alors le droit d'occuper à titre de locataire l'un de ces logements (magazine *Justice*, Volume IV, numéro 2).

Les maisons mobiles

De nos jours, les maisons dites "mobiles" ne le sont en fait qu'avant leur installation sur un site de résidence, où elles deviennent pratiquement permanentes; aussi, vous devriez accorder au moins autant de soin à choisir le site que la maison elle-même.

Le site

Si vous vous proposez d'acheter un terrain pour y installer une maison mobile, assurez-vous d'abord que les autorités municipales vous autoriseront à le faire. Il arrive fréquemment que les règlements municipaux ne permettent l'installation de maisons mobiles que dans certains quartiers. Précisez que votre offre d'achat est conditionnelle à l'autorisation d'installer cette sorte d'habitation sur le terrain.

Si vous avez l'intention de vous installer dans un parc de maisons mobiles, renseignez-vous auprès d'un bureau de protection des consommateurs (comme le Bureau d'éthique commerciale) pour savoir s'il a reçu des plaintes contre le propriétaire ou l'administration. Il pourrait être utile de causer avec quelques-uns des résidents et particulièrement avec vos voisins éventuels.

Examinez avec soin l'aménagement du parc dans son ensemble. Assurez-vous que le branchement des services convient à votre maison et que le parc est bien entretenu.

Comme pour toute autre location, soyez bien au fait des conditions du bail et, en particulier, de celles qui traitent des animaux d'appartement et des enfants. Sachez quels sont vos droits si vous décidez de vendre votre maison.

La maison elle-même

Insistez pour obtenir une bonne garantie comme partie intégrante de votre contrat d'achat. Obtenez l'engagement du vendeur à exécuter la garantie sur les lieux mêmes où vous avez l'intention d'installer votre maison. Demandez aux autres propriétaires de maisons mobiles dans le même secteur si le concessionnaire que vous avez en vue s'est acquitté de ses obligations. (Ce n'est pas une mince affaire de renvoyer votre maison à l'usine pour la faire réparer.)

La législation

L'achat d'une maison

Ai-je une protection quelconque contre les défauts de construction?

Québec

Les dispositions du Code civil protègent les acheteurs de maisons neuves et de maisons déjà habitées. Le constructeur et l'architecte sont responsables envers l'acheteur pour les défauts observés au cours des cinq premières années et, dans certains cas, des dix premières années.

Par le passé, les acheteurs de nouvelles maisons dans les autres provinces n'ont bénéficié que d'une protection se dégageant de la jurisprudence élaborée par les tribunaux (la *common law*), les *Sale of Goods Acts*, dans ces provinces, ne s'appliquant pas à l'achat d'une maison. Cependant, l'Ontario a maintenant adopté une législation protégeant les acheteurs de nouvelles maisons des défauts de construction, si le contrat est passé avec le constructeur. Les autres provinces ont mis en place des mécanismes volontaires donnant aux acheteurs une protection semblable à celle du système ontarien.

Ontario

Le *New Home Warranties Plan Act* s'applique aux maisons unifamiliales, aux duplex appartenant à un seul propriétaire et aux logements en copropriété. Les acheteurs sont protégés contre tous les défauts pendant un an à compter de la fin des travaux et pendant cinq ans contre les défauts sérieux de structure. La loi interdit de se soustraire contractuellement à ce régime et prévoit les garanties suivantes (jusqu'à maximum de 20 000$):

- que la construction est de qualité acceptable;
- que le logement est habitable;
- que les matériaux ne présentent pas de défaut;
- que l'ouvrage est conforme au code provincial de la construction.

La loi crée un fonds de compensation pour protéger les acheteurs en toutes circonstances, quoi qu'il advienne du constructeur.

Dans les autres provinces, les bureaux régionaux de la *Housing and Urban Development Association of Canada* (HUDAC) administrent un sytème volontaire accordant aux acheteurs une garantie d'un an contre les défauts des nouvelles maisons, et une garantie supplémentaire de quatre ans contre les défauts sérieux de structure. Ce système prévoit un mécanisme d'arbitrage pour régler rapidement les plaintes; il assure également l'acheteur contre la faillite éventuelle du constructeur.

La Société canadienne d'hypothèques et de logement et certains prêteurs hypothécaires et assureurs privés exigent la participation à ce programme. Toutefois, ce n'est pas une obligation légale et certains constructeurs n'y adhèrent pas.

Ai-je un recours quelconque si mon constructeur n'adhère à aucun système de garantie?

Dans une telle situation, les dispositions juridiques s'appliquent: si la construction n'est pas terminée au moment de la passation du contrat, la loi prévoit que celui-ci est présumé contenir une clause stipulant que le travail sera fait selon les règles de l'art et que le logement sera habitable. Cette condition tacite (voir à la page 53) s'étend à tout défaut de construction.

Cependant, le vendeur peut modifier cette condition et même s'y soustraire. Vous perdriez alors toute protection contre les défauts de construction. Si le vendeur s'est soustrait contractuellement à la garantie et que la maison présente des défauts de construction, il ne vous reste plus qu'à invoquer le principe de "l'inexécution d'une obligation essentielle du contrat" (voir à la page 57) si vous voulez poursuivre.

Hors du Québec, si la construction est complètement terminée lorsque le contrat est signé, vous n'avez aucune protection contre les défauts, à moins que le vendeur ait fait de fausses représentations ou sciemment dissimulé les défauts. Vous acceptez la maison "telle quelle", bien qu'elle puisse vous réserver des surprises.

Québec

Le Code civil donne une certaine protection contre les vices cachés sérieux.

Pour mieux protéger les consommateurs dans ce genre de situation, les tribunaux ont étendu la notion de "maison non finie" à tout travail qui se poursuit encore (même les derniers détails de décoration) pour que la loi s'applique le plus largement possible. La protection s'applique à la structure entière de la maison, y compris les parties construites avant que vous n'en deveniez propriétaire.

Ai-je une protection quelconque contre les défauts d'une maison "usagée"?

Hors du Québec, il existe généralement une protection juridique très mince contre les défauts d'une maison déjà habitée. Le cas est analogue à celui des nouvelles maisons terminées avant la signature du contrat d'achat. À moins que le vendeur vous ait garanti qu'il n'y avait pas de défauts, vous devrez prouver qu'il vous a fait de fausses représentations sur l'état de la maison ou qu'il vous a sciemment caché des défauts connus de lui, si vous voulez obtenir une compensation.

Les copropriétés divises

Pourquoi rechercher une copropriété divise déjà enregistrée?

Puisque les acheteurs de logements en copropriété ne peuvent obtenir leurs titres avant l'enregistrement du complexe, la plupart des provinces et territoires du Canada ont adopté des lois obligeant les promoteurs à enregistrer leurs complexes domiciliaires avant d'entamer la vente. Certains promoteurs contournent la loi en "vendant" un logis dans un complexe non enregistré et en s'engageant à transférer les titres en temps opportun. Jusqu'à l'enregistrement du complexe, "l'acheteur" est en fait un simple locataire. Le promoteur a tout avantage à "vendre" ses logements avant d'entamer la procédure d'enregistrement parce que, dans l'intervalle, l'acheteur lui paie un loyer substantiel qui ne s'applique pas toujours au prix d'achat.

Les maisons mobiles

Quelle protection juridique le propriétaire d'une maison mobile possède-t-il?

- Depuis 1970, toutes les provinces (sauf Terre-Neuve) ont adopté des lois pour régir les rapports entre locataires et propriétaires; ces lois s'appliquent aux maisons mobiles (au Québec, voir les dispositions du Code civil concernant les baux). Ces lois ont permis de lutter contre les abus répugnants de certains propriétaires de parcs qui exigeaient des frais initiaux très élevés et refusaient à un locataire l'autorisation de vendre sa maison s'il ne versait une forte compensation au propriétaire foncier.
- Dans la plupart des provinces, les personnes qui louent un espace dans un parc de maisons mobiles ont pratiquement la même protection que les autres locataires. (Consultez le chapitre V pour plus de renseignements sur les rapports entre propriétaires et locataires).
- Les maisons mobiles sont aussi visées par les *Sale of Goods Acts* provinciaux et les lois sur la garantie des produits. Par conséquent, les conditions implicites touchant les titres et la qualité, dont traite le chapitre II (voir à la page 53), peuvent s'appliquer à la vente d'une maison mobile.

Terre-Neuve
Île-du-Prince-Édouard
Nouveau-Brunswick
Colombie-Britannique

Ces provinces ont adopté des lois qui visent spécifiquement les concessionnaires; certaines dispositions concernent aussi les normes de construction pour ce type de maison.

- En outre, les lois provinciales sur les ventes à tempérament peuvent s'appliquer. Ainsi, si vous ne faites pas vos paiements, la maison mobile faisant l'objet d'une vente à tempérament pourrait être saisie; dans certains cas, le vendeur pourrait vous poursuivre (voir aux pages 97 et 98).

Saskatchewan

Le *Conditional Sales Act* prévoit un délai de trente jours entre l'avis de saisie que doit donner le vendeur et l'exécution de ce recours.

Annexe

A. Conseils sur l'achat d'une maison
B. La protection accordée aux acheteurs de maisons
   1. Les maisons neuves
      La législation prévoyant une garantie sur les maisons neuves

Provinces

Québec	Code civil
Ontario	New Home Warranties Plan Act

   2. Les maisons déjà habitées
      La législation imposant un permis aux courtiers en immeubles

Provinces et territoires

Terre-Neuve	Real Estate Trading Act
Nouvelle-Écosse	Real Estate Broker's Licensing Act
Nouveau-Brunswick	Loi sur les permis des agents immobiliers
Île-du-Prince-Édouard	Real Estate Trading Act
Québec	Loi sur le courtage immobilier

Ontario	Real Estate and Business Brokers Act
Manitoba	Loi sur les agents immobiliers
Saskatchewan	Real Estate Brokers Act
Alberta	Real Estate Agent's Licensing Act
Colombie-Britannique	Real Estate Act
Territoire du Nord-Ouest	*
Yukon	Real Estate Agents' Licensing Ordinance

3. La copropriété
   La législation relative à la copropriété

Provinces et territoires

Terre-Neuve	Condominium Act
Nouvelle-Écosse	Condominium Act
Nouveau-Brunswick	Loi sur les condominiums
Îles-du-Prince-Édouard	Condominium Act
Québec	Code civil, article 441b à 442p
Ontario	Condominium Act

---

* Aucune législation particulière

Manitoba	Loi sur les immeubles en copropriété
Saskatchewan	Condominium Act
Alberta	Condominium Property Act
Colombie-Britannique	Condominium Act
Territoires du Nord-Ouest	Condominium Ordinance
Yukon	Condominium Ordinance

4. Les maisons mobiles
   La législation réglementant la construction des maisons mobiles et l'octroi de permis aux détaillants

Provinces

Terre-Neuve	Mobile Home Dealers Act
Nouveau-Brunswick	Loi sur les maisons mobiles
Île-du-Prince-Édouard	Mobile Homes Act
Colombie-Britannique	Mobile Home Act

Remarque: Voir également la liste des législations provinciales sur les rapports entre propriétaires et locataires dans l'annexe du chapitre V, page 168.

Chapitre V

La location

La plupart des propriétaires et locataires sont des gens raisonnables qui assument leurs responsabilités. Toutefois, les abus d'un petit nombre ont amené toutes les provinces ainsi que les territoires à adopter des lois régissant les rapports qu'ils entretiennent. Ces lois précisent les droits des deux parties et établissent souvent des mécanismes pour régler leurs litiges. Dans ce chapitre, nous examinons les points qui sont à la base d'un bail satisfaisant et étudions la législation réglant les rapports entre propriétaires et locataires.

Vos droits en tant que locataire

Le bail

Si vous êtes locataire, rappelez-vous qu'il existe des lois qui protègent vos droits quelles que soient les dispositions du bail, ou même si vous n'avez aucun bail. Toutefois, en ce qui concerne les modalités qui échappent aux lois, vos droits et obligations sont régis par le bail, c'est-à-dire l'entente que vous concluez avec le propriétaire. Pour éviter les problèmes ou les différends, lisez soigneusement toute entente qu'on vous demande de signer et insistez pour faire radier toute condition qui semble déraisonnable. Assurez-vous que tout changement est paraphé par le propriétaire et par vous-même.

La sous-location ou la cession

Si vous avez l'intention de sous-louer votre logement ou de céder votre bail, choisissez soigneusement le sous-locataire. C'est généralement vous, en votre qualité de locataire principal, qui demeurez responsable du paiement du loyer et des autres obligations jusqu'à la fin du bail. Vous trouverez plus de renseignements à la page 163.

Le contrôle des loyers

Le contrôle des loyers a été institué pour prévenir les augmentations indues ou excessives, mais certaines provinces s'emploient maintenant à réduire ce contrôle ou à l'éliminer. Nous ne ferons pas ici une étude détaillée du contrôle des loyers, puisque la plupart des lois qui l'ont institué sont de nature temporaire. Si vous ne connaissez pas vos droits, la Régie du logement du Québec, votre bureau de protection du consommateur, ou l'un des organismes mentionnés aux pages 177 à 181 pourront vous renseigner ou vous dire à qui vous adresser.

La législation

Les dépôts

Existe-t-il quelque disposition juridique sur le dépôt exigé par le propriétaire à la signature du bail?

Toutes les provinces et les deux territoires réglementent maintenant le dépôt exigé du locataire, soit à titre de loyer futur, soit comme réserve pour payer les dommages éventuels.

Ontario **Yukon**

Les propriétaires ne peuvent exiger qu'un dépôt de loyer; celui-ci doit s'appliquer au loyer de la dernière période du bail et ne saurait en aucun cas garantir le paiement des dommages que pourrait causer le locataire.

Terre-Neuve
Nouvelle-Écosse
Nouveau-Brunswick
Île-du-Prince-Édouard
Québec
Manitoba
Saskatchewan
Alberta
Colombie-Britannique
Territoires du Nord-Ouest

La législation précise les conditions autorisant le propriétaire à conserver l'argent déposé. Avant d'affecter le dépôt au paiement des dommages causés par un locataire, le propriétaire, dans certains cas, doit obtenir une ordonnance d'un tribunal ou d'une régie des loyers.

Chaque province et territoire précise le montant maximal du dépôt et oblige le propriétaire à verser des intérêts à un taux fixé annuellement.

Le tableau suivant indique les montants de dépôt permis par la loi ainsi que les taux d'intérêt en vigueur dans chaque province:

Province ou territoire	Dépôt autorisé par la loi	Montant	Affectation du dépôt au paiement de dommages*	Taux d'intérêt
Terre-Neuve	oui	Loyer hebdomadaire: 2 semaines de loyer; les autres, la moitié d'un mois de loyer	oui	6%
Nouvelle-Écosse	oui	La moitié d'un mois de loyer	oui	6%
Nouveau-	oui	Un mois de loyer	oui	
Île-du-Prince-Édouard	oui	Un mois de loyer	oui	6%
Québec	oui	Le loyer d'une période; maximum 1 mois	non	
Ontario	oui	Un mois de loyer	non	6%
Manitoba	oui	La moitié d'un mois de loyer	oui	4%
Saskatchewan	oui	75$ ou la moitié d'un mois de loyer	oui	5%
Alberta	oui	Un mois de loyer	oui	6%
Colombie-Britannique	oui	La moitié d'un mois de loyer	oui	12%
Territoires du Nord-Ouest	oui	La moitié d'un mois de loyer	oui	4%
Yukon	oui	Un mois de loyer	non	5%

* Avant d'affecter la somme déposée au paiement des dommages, dans certains cas le propriétaire doit obtenir le consentement du locataire ou une ordonnance d'un tribunal ou d'une régie des loyers.

La fixation du loyer

La loi régit-elle le montant de loyer que le propriétaire peut exiger?

Des mécanismes temporaires ou permanents pour fixer les loyers sont en vigueur dans toutes les provinces, sauf en

Alberta, au Manitoba et au Yukon. La formule habituelle consiste à établir un taux d'augmentation maximal et à donner un droit d'appel au propriétaire et au locataire.

L'avis d'augmentation du loyer

Le propriétaire peut-il augmenter mon loyer quand il le désire?

Dans la plupart des régions du pays, le propriétaire doit donner à son locataire un préavis suffisamment long pour lui permettre de décider s'il va demeurer au même endroit ou déménager.

Québec

Vous avez le choix d'aviser votre propriétaire que vous quittez les lieux ou de contester l'augmentation de loyer auprès de la Régie du logement.

Le tableau suivant indique les délais de préavis exigés dans chaque province ou territoire:

Province ou territoire	*Préavis exigé par la loi*
Terre-Neuve	Préavis écrit de trois mois
Nouvelle-Écosse	Préavis écrit de trois mois (sauf entente contraire)
Nouveau-Brunswick	Aucune disposition spéciale
Île-du-Prince-Édouard	Préavis écrit de 90 jours
Québec	Préavis de trois mois pour les baux de plus de 12 mois Préavis d'un mois pour les baux de moins de 12 mois
Ontario	Préavis écrit de 90 jours

Manitoba	Préavis de trois mois au minimum (ou plus, s'il y a une entente à cet effet)
Saskatchewan	Loyers hebdomadaires — préavis écrit de trois semaines Loyers mensuels ou plus longs — préavis écrit de trois mois
Alberta	Préavis écrit de 90 jours (ou plus, s'il y a entente à cet effet)
Colombie-Britannique	Préavis de trois mois (formule légale)
Territoires du Nord-Ouest	Préavis écrit de trois mois (ou plus, s'il y a entente à cet effet)
Yukon	Préavis écrit de trois mois; aucune augmentation durant la première année de location

Le droit au maintien dans les lieux

Le propriétaire peut-il m'évincer?

Avant les récentes modifications apportées aux lois, le propriétaire pouvait vous évincer sans aucun motif, en donnant un préavis très court, si vous n'aviez pas de bail. Si vous en aviez un, vous deviez déménager à l'expiration de celui-ci, à moins que le propriétaire ne consente à le renouveler. À l'heure actuelle, la plupart des baux à période fixe (par exemple, un bail d'un an) sont renouvelés automatiquement pour un mois à la fois à moins que l'une ou l'autre partie n'envoie un préavis de résiliation.

Québec

Le renouvellement s'étend à la même période que le bail initial (pour un maximum d'un an), à moins que le propriétaire et le locataire n'aient fixé une période différente ou que l'un ou l'autre n'envoie un préavis de résiliation.

Dans la plupart des régions, la loi vous protège contre d'éventuelles mesures de rétorsion: elle interdit au propriétaire de résilier le bail pour le seul motif que vous ayez fait valoir vos droits (en particulier, auprès des autorités gouvernementales).

Québec
Manitoba
Ontario
Colombie-Britannique

Ces provinces vont beaucoup plus loin: la loi vous autorise à continuer d'occuper les lieux à moins que le propriétaire puisse démontrer que vous vous êtes mal conduit ou qu'il ait besoin du logement pour certaines raisons précises (si, par exemple, lui-même ou un membre de sa famille désire s'y installer). En vertu de la loi, si vous payez votre loyer et ne dérangez pas les autres locataires, vous avez, à toutes fins utiles, le droit d'occuper les lieux de façon permanente.

Les réparations

Autrefois, dans une société rurale, la terre était le bien le plus important faisant l'objet d'un loyer, les bâtiments n'ayant qu'une valeur marginale. Par conséquent, la règle de *common law* élaborée au cours des ans par les tribunaux n'obligeait aucunement le propriétaire à entretenir les lieux, sauf entente contraire. Le locataire prenait possession des lieux dans l'état où ils étaient et devait continuer à payer le loyer, même si les bâtiments tombaient en ruine.

Qui doit réparer mon logement?

La loi oblige maintenant les propriétaires à maintenir les lieux loués en bon état et à se conformer aux normes de santé et de sécurité. Toutes les provinces, sauf la Nouvelle-Écosse et la Saskatchewan, exigent également que les édifices soient en bon état au début d'un bail. Le propriétaire demeure responsable des réparations même si vous avez constaté le mauvais état du logement au moment où vous en avez pris possession.

Dans ces lois, l'expression "la réparation" a son sens ordinaire, c'est-à-dire "la remise en état en remplaçant ou en réassemblant ce qui peut être brisé". L'obligation du propriétaire dépend donc de l'âge et du genre de logement. Il *n'est pas* tenu de faire des améliorations, des substitutions ou encore de rénover les lieux.

EXEMPLE: ***Le propriétaire peut avoir à remplacer la marche vermoulue d'un escalier de bois extérieur, mais il n'est pas obligé de remplacer l'escalier existant par un autre en béton.***

Par conséquent, le propriétaire n'a pas à satisfaire toutes vos attentes (par exemple, la redécoration des lieux), à moins que cela ne soit inscrit dans le bail.

Colombie-Britannique

C'est la seule province où le propriétaire est tenu d'entretenir raisonnablement la décoration des lieux, mais on ne saurait l'y obliger que dans des cas extrêmes.

Suis-je tenu à *quelque* ***réparation?***

À titre de locataire, votre responsabilité se limite à garder les lieux propres et à réparer tout dommage causé par votre famille, vos invités ou vous-même. Toutefois, cela ne s'étend pas à l'usure normale résultant de l'occupation des lieux.

EXEMPLE: ***Si votre enfant enfonce le mur avec un marteau, vous devez réparer les dommages. Par contre, les petits trous que laissent les clous dans le plâtre lorsque vous accrochez un tableau ne constituent pas des "dommages", sauf si le bail stipule que vous n'avez pas le droit d'accrocher de tableaux.***

Le droit à l'intimité

Le propriétaire peut-il visiter les lieux à tout moment?

Votre propriétaire n'a pas le droit absolu de pénétrer dans votre logement, sauf en cas d'urgence ou avec votre permission. Toutefois, le bail peut l'autoriser à visiter les lieux dans certaines circonstances, par exemple si la propriété est mise en vente ou s'il désire faire une inspection. Le propriétaire doit généralement vous donner un préavis écrit de 24 heures, mais ce préavis n'est pas toujours nécessaire si, par exemple, vous avez signifié votre intention de déménager et que des locataires éventuels veulent visiter les lieux.

La sous-location et la cession

Puis-je sous-louer les lieux quand je le désire?

Avant les modifications récentes apportées à la loi, la règle de *common law* voulait que vous puissiez toujours céder (transférer vos droits à une autre personne) ou sous-louer les lieux (devenir à votre tour propriétaire envers un sous-locataire pour une période inférieure à celle du bail). Toutefois, les propriétaires veillaient généralement à ce que les baux interdisent aux locataires de céder ou de sous-louer les lieux, ou s'ils accordaient ce droit c'était sous réserve de la permission du propriétaire (qui était parfois refusée sous les prétextes les plus spécieux).

Presque toutes les provinces ou territoires du Canada ont maintenant adopté des lois donnant au locataire le droit de céder ou de sous-louer son logement, généralement sous réserve de la permission du propriétaire, qui ne saurait être refusée sans motif valable.

Île-du-Prince-Édouard **Colombie-Britannique**
Yukon

Ce droit n'est accordé qu'aux locataires ayant des baux d'au moins six mois.

Terre-Neuve **Nouvelle-Écosse**
Nouveau-Brunswick **Ontario**
Manitoba **Saskatchewan**
Territoires du Nord-Ouest

Dans ces provinces, même un locataire ayant un bail mensuel a le droit de sous-louer son logement.

Alberta

Dans cette province, le propriétaire et le locataire doivent s'entendre sur le droit de sous-louer ou de céder le logement.

Le locataire initial est généralement responsable envers le propriétaire du paiement du loyer et de toutes les autres obligations découlant du bail, jusqu'à l'expiration de celui-ci.

Les litiges entre propriétaires et locataires

Quels sont les droits du propriétaire si je ne paie pas mon loyer?

Dans la plupart des régions, les propriétaires ont perdu le droit de saisir les biens du locataire sans ordonnance du tribunal lorsque le loyer n'a pas été payé. Pour recouvrer les arrérages de loyer, ils peuvent recourir aux mêmes méthodes que tout autre créancier impayé: ils peuvent vous poursuivre ou entamer des procédures d'éviction.

Terre-Neuve **Territoires du Nord-Ouest**

Le propriétaire peut saisir les meubles, mais non les vêtements et les outils de travail.

Alberta

Le propriétaire a les mêmes droits de saisie, mais il doit faire intervenir le shérif.

Comment résoudre les litiges qui n'ont pas trait au paiement du loyer?

En règle générale, c'est aux tribunaux qu'il revient de trancher les litiges entre propriétaires et locataires. Il existe néanmoins une tendance croissante à instituer des mécanismes moins structurés pour résoudre ces problèmes. La plupart des provinces ont institué une commission ou une régie chargée d'entendre ces litiges. Toutefois, la constitutionnalité de certains de ces organismes est actuellement contestée devant les tribunaux.

Manitoba **Saskatchewan**
Colombie-Britannique

C'est l'administrateur de la régie des loyers (*rentalsman*) qui tranche les différends entre propriétaires et locataires.

Terre-Neuve

Dans cette province, la régie des loyers possède sensiblement les mêmes pouvoirs d'ordonnance qu'un tribunal.

Nouvelle-Écosse

La régie des loyers peut ordonner que le paiement du loyer soit déposé en fiducie et rendre des ordonnances sur les dépôts et le paiement des loyers. Les décisions de la régie peuvent être enregistrées et exécutées comme s'il s'agissait d'une ordonnance de la Cour de comté.

Québec, la Régie du logement

La Régie du logement est chargée du règlement des litiges. Tout locataire et tout propriétaire a droit aux services de la Régie pour ce qui a trait à la prolongation du bail, à la fixation du loyer, à la reprise de possession, à la subdivision ou au changement d'affectation d'un logement, à certains recours particuliers au bail d'un logement à loyer modique (HLM), à la démolition, à la vente d'un immeuble faisant partie d'un ensemble immobilier, à la transformation d'un immeuble en copropriété (condominium).

Il est important de noter que la Régie du logement n'a pas juridiction pour fixer un loyer ou statuer sur la durée ou la modification du bail dans le cas des immeubles neufs. Cette exclusion ne vaut que pour les cinq années suivant la date à laquelle ils ont été ouverts à l'habitation.

Dans les cas où le propriétaire et le locataire ne s'entendent pas sur les conditions de prolongation d'un bail, la Régie du logement peut être appelée à se prononcer sur le litige selon les procédures suivantes:

1. S'il désire modifier le bail de son locataire, le propriétaire doit aviser son locataire par écrit entre 3 et 4 mois avant la fin d'un bail de 12 mois ou plus, ou entre 1 et 3 mois avant la fin d'un bail de moins de 12 mois, de l'augmentation demandée en dollars ou en pourcentage, et de la durée proposée pour la prolongation.
2. Après avoir reçu l'avis du propriétaire, le locataire a un mois pour aviser son propriétaire par écrit qu'il accepte les modifications demandées au bail, qu'il quittera le logement à la fin du bail ou qu'il refuse l'augmentation demandée s'il la juge abusive ou inacceptable.

Si le locataire ne répond pas, cela signifie qu'il accepte les modifications que le propriétaire demande.

3. Lorsque le locataire refuse l'augmentation ou les modifications au bail, le propriétaire doit, dans un délai maximum d'un mois après la réception de l'avis de refus, demander à la Régie du logement de fixer un nouveau loyer ou de nouvelles conditions. S'il omet de le faire, le bail est automatiquement prolongé aux conditions de l'ancien bail.
4. Si le locataire ne reçoit pas d'avis du propriétaire et s'il désire quitter son logement, il doit envoyer à son propriétaire un avis de non-prolongation du bail entre 3 et 6 mois avant la fin d'un bail de 12 mois ou plus, ou entre 10 et 20 jours avant la fin d'un bail de moins de 12 mois.

Dans les autres provinces, les administrateurs des régies du logement et les régies elles-mêmes ont des pouvoirs d'enquête et de médiation plus limités. La comparaison suivante illustre cette différence: au Québec, en Colombie-Britannique, en Saskatchewan ou au Manitoba, la régie du logement ou un de ses administrateurs peut ordonner à un propriétaire d'effectuer des réparations, tandis qu'à Edmonton, la régie pourrait tout au plus tenter de persuader le propriétaire d'agir. À l'Île-du-Prince-Édouard, un locataire qui veut faire exécuter des réparations peut intenter des poursuites contre le propriétaire.

Annexe

A. La législation sur les rapports entre propriétaires et locataires
   1. Le droit d'occuper les lieux

Provinces et territoires

Terre-Neuve	*
Nouvelle-Écosse	Residential Tenancies Act, par. 11B, 11E (les locataires sont protégés contre les mesures de rétorsion que pourraient prendre les propriétaires)
Nouveau-Brunswick	*
Île-du-Prince-Édouard	Landlord and Tenant Act, a. 116 (Interdiction d'éviction par mesure de rétorsion)
Québec	Code civil, article 1658 (Tout bail à période fixe est reconduit de droit pour la même période ou 12 mois, selon la plus courte de ces deux périodes)
Ontario	Landlord and Tenant Act, a. 103c, 107 (Résiliation pour causes ou motifs spécifiques seulement)

* Aucune législation particulière

Manitoba	Code des loyers, a. 103-105
Saskatchewan	Residential Tenancies Act, a. 21-28, 47 (Interdiction d'éviction par mesure de rétorsion ou si le propriétaire contrevient à ses obligations fondamentales)
Alberta	Landlord and Tenant Act, 1979, a. 11, 12 (Un bail d'une durée déterminée se prolonge hebdomadairement ou mensuellement, sauf dispositions contraires — interdiction d'éviction par mesure de rétorsion)
Colombie-Britannique	Residential Tenancy Act, a. 22, 23
Territoires du Nord-Ouest	Landlord and Tenant Ordinance, a. 74 (Interdiction d'éviction par mesure de rétorsion)
Yukon	Landlord and Ordinance, a. 87 (Interdiction d'éviction par mesure de rétorsion)

2. Le droit à l'intimité

Provinces et territoires

Terre-Neuve	Landlord and Tenant (Residential Tenancies) Act, a. 7
Nouvelle-Écosse	Residential Tenancies Act, a. 6

Nouveau-Brunswick	Loi sur la location de locaux d'habitation, a. 16
Île-du-Prince-Édouard	Landlord and Tenant Act, a. 103
Québec	Code civil, article 1659
Ontario	Landlord and Tenant Act, a. 93
Manitoba	Code des loyers, a. 95
Saskatchewan	Residentail Tenancies Act., a. 20
Alberta	Landlord and Tenant Act, 1979, a. 17
Colombie-Britannique	Residential Tenancy Act, a. 28
Territoires du Nord-Ouest	Landlord and Tenant Ordinance, a. 52
Yukon	Landlord and Tenant Ordinance, a. 72

3. Les dépôts

Provinces et territoires

Terre-Neuve	Landlord and Tenant (Residential Tenancies) Act, a. 18
Nouvelle-Écosse	Residential Tenancies Act, a. 9
Nouveau-Brunswick	Loi sur la location de locaux d'habitation, a. 8

Île-du-Prince-Édouard	Landlord and Tenant Act, a. 96
Québec	Code civil, article 1665.2
Ontario	Landlord and Tenant Act, a. 84
Manitoba	Code des loyers, a. 84, 86
Saskatchewan	Residential Tenancies Act, a. 30
Alberta	Landlord and Tenant Act, 1979, a. 37-40
Colombie-Britannique	Residential Tenancy Act, a. 31-39
Territoires du Nord-Ouest	Landlord and Tenant Ordinance, a. 50, 51
Yukon	Landlord and Tenant Ordinance, a. 63

4. Le droit de céder ou de sous-louer le logement

Provinces et territoires

Terre-Neuve	Landlord and Tenant (Residential Tenancies) Act, a. 7
Nouvelle-Écosse	Residential Tenancies Act, a. 6
Nouveau-Brunswick	Loi sur la location de locaux d'habitation, a. 13

Île-du-Prince-Édouard	Landlord and Tenant Act, a. 92
Québec	Code civil, article 1655
Ontario	Landlord and Tenant Act, a. 91
Manitoba	Code des loyers, a. 93
Saskatchewan	Residential Tenancies Act, a. 20
Alberta	*
Colombie-Britannique	Residential Tenancy Act, a. 29
Territoires du Nord-Ouest	Landlord and Tenant Ordinance, a. 56
Yukon	Landlord and Tenant ordinance, a. 70

5. Les réparations

Provinces et territoires

Terre-Neuve	Landlord and Tenant (Residential Tenancies) Act, a. 7
Nouvelle-Écosse	Residential Tenancies Act, a. 6
Nouveau-Brunswick	Loi sur la location de locaux d'habitation, a. 3, 4

---

* Aucune législation particulière

Île-du-Prince-Édouard	Landlord and Tenant Act, a. 102
Québec	Code civil, articles 1652-53
Ontario	Landlord and Tenant Act, a. 96
Manitoba	Code des loyers, a. 98
Saskatchewan	Residential Tenancies Act, a. 18, 20
Alberta	Landlord and Tenant Act, 1979, a. 14, 16 Provincial Public Health Act
Colombie-Britannique	Residential Tenancy Act, a. 25
Territoires du Nord-Ouest	Landlord and Tenant Ordinance, a. 60
Yukon	Landlord and Tenant Ordinance, a. 75

B. L'augmentation du loyer

1. La fixation du loyer

2. L'avis d'augmentation du loyer

Provinces et territoires

Terre-Neuve	Landlord and Tenant (Residential Tenancies) Act, a. 17
Nouvelle-Écosse	Residential Tenancies Act, a. 8 Rent Review Act, a. 10, 12

Nouveau-Brunswick	Loi sur le contrôle des loyers de locaux d'habitation, a. 8
Île-du-Prince-Édouard	Landlord and Tenant Act, a. 99
Québec	Code civil, article 1658
Ontario	Residential Tenancies Act, a. 60 Landlord and Tenant Act, a. 115
Manitoba	Code des loyers, a. 116
Saskatchewan	Residential Tenancies Act, a. 20, 46
Alberta	Landlord and Tenant Act, 1979, a. 13
Colombie-Britannique	Residential Tenancy Act, a. 64
Territoires du Nord-Ouest	Landlord and Tenant Ordinance, a. 53
Yukon	Landlord and Tenant Ordinance, a. 77

C. Le règlement des litiges

1. Défaut de paiement du loyer
   Saisie et insaisissabilité de certains biens

Provinces et territoires

Terre-Neuve	Judicature Act, a. 123 (saisie permise avec certaines réserves)

Nouvelle-Écosse	Residential Tenancies Act, a. 4, 4A
Nouveau-Brunswick	Loi sur la location de locaux d'habitation, a. 14
Île-du-Prince-Édouard	Landlord and Tenant Act, a. 98
Québec	Code civil, article 1650. 4
Ontario	Landlord and Tenant Act, a. 86
Manitoba	Code des loyers, a. 88
Saskatchewan	Residential Tenancies Act, a. 13
Alberta	Seizures Act, a. 19 Exemption Act, a. 3
Colombie-Britannique	Residential Tenancy Act, a. 8
Territoires du Nord-Ouest	*
Yukon	Landlord and Tenant Ordinance, a. 65

2. Autres litiges

Provinces et territoires

Terre-Neuve	Landlord and Tenant (Residential Tenancies) Act, a. 19, 20 (Requête à un magistrat; le

* Aucune législation particulière

	Residential Tenancies Board peut servir de médiateur, réviser les loyers et émettre des ordonnances)
Nouvelle-Écosse	Residential Tenancies Act, a. 10, 11 (Un magistrat traite les infractions à la loi, les dépôts, les évictions; le *Residential Tenancies Board* a les pouvoirs généraux d'enquête et de médiation, mais des pouvoirs restreints au sujet des dépôts et des modifications de loyer, etc.)
Nouveau-Brunswick	Loi sur la location de locaux d'habitation, a. 5 (Requête au tribunal)
Île-du-Prince-Édouard	Landlord and Tenant Act, a. 115
Québec	Loi sur la Régie du logement (Loi 107), a. 28 (Requête auprès de la Régie du logement)
Ontario	Landlord and Tenant Act, a. 106 (Requête à un juge d'une Cour de comté)
Manitoba	Code des loyers, a. 108, 120 (Requête à un juge pour faire exécuter les droits, les évictions, etc., l'administrateur s'occupe de la médiation en général)

Saskatchewan	Residential Tenancies Act, a. 20, 47, 75-78 (Requêtes à l'administrateur, au *Residential Tenancies Rent Review Board* ou au *Provincial Mediation Board* pour les augmentations injustes ou déraisonnables)
Alberta	Landlord and Tenant Act, 1979, a. 49 (Un conseil consultatif peut faire office de médiateur mais les tribunaux ont le dernier mot)
Colombie-Britannique	Residential Tenancy Act, a. 50, 51 (Le rôle de l'administrateur consiste à rendre des décisions dans les litiges)
Territoires du Nord-Ouest	Landlord and Tenant Ordinance, a. 69 (Toutes les requêtes sont adressées à un juge)
Yukon	Landlord and Tenant Ordinance, a. 86 (Toutes les requêtes sont adressées à un juge)

D. Régies des loyers et renseignements sur les baux

Terre-Neuve	Landlord Tenant Relations Division Department of Consumer Affairs and Environment Édifice de la Confédération St. John's (Terre-Neuve) A1C 5T7 Tél.: (709) 737-2610

Nouvelle-Écosse

Rent Review Commission
C.P. 820
Halifax (Nouvelle-Écosse)
B3J 2X3
Tél.: (902) 424-7774
ou
Residential Tenancy Board
C.P. 998
Halifax (Nouvelle-Écosse)
ou
Residential Tenancies Boards à Sydney, Truro, Yarmouth, Port Hawkesbury, Kentville ou Bridgewater

Nouveau-Brunswick

Contrôleur en chef des loyers
C.P. 6000
Fredericton
(Nouveau-Brunswick)
E3B 5H1
Tél.: (506) 453-2546

Île-du-Prince-Édouard

Rentalsman's Office
C.P. 2000
Charlottetown
(Île-du-Prince-Édouard)
C1A 7N8
Tél.: (902) 894-8559

Québec

Régie du logement
1, rue Notre-Dame est
11e étage, bureau 1180
Montréal (Québec) H2Y 1B6
Tél.: (514) 873-6575

Ontario

Residential Tenancy Commission
77, rue Bloor ouest, 2e étage

Toronto (Ontario) M5S 1M2
Tél.: (416) 964-8281 ou
Appels sans frais:
Zenith 9-6000 par l'entremise de la standardiste
ou
Bureaux de la Residential Tenancy
Commission à Barrie, East York, Etobicoke, Hamilton, Kingston, Kitchener, London, Mississauga, North Bay, North York, Ottawa, Owen Sound, Peterborough, St. Catharines, Scarborough, Sudbury, Thunder Bay, Timmins ou Windsor

Manitoba

Manitoba Rent Review
370, avenue Broadway
Bureau 304
Winnipeg (Manitoba)
R3C 3N4
Tél.: (204) 944-2476

Saskatchewan

Rentalsman
2055, rue Albert
4e étage
Regina (Saskatchewan)
S4P 3V7
Tél.: (306) 565-2699

Provincial Mediation Board
2055, rue Albert
Regina (Saskatchewan)
S4P 3V7
Tél.: (306) 565-2699

Alberta

Consumer and Corporate Affairs
11e étage, Capitol Square
10065, avenue Jasper
Edmonton (Alberta)
T5J 3B1
ou
Bureaux régionaux du Department of Consumer and Corporate Affairs à Calgary, Edmonton, Fort McMurray, Lethbridge, Peace River ou Red Deer (voir les adresses à la page 221)
ou
Landlord and Tenant Advisory Boards à Banff, Calgary, Canmore, Edmonton, Fort McMurray, Jasper, Lethbridge, Medicine Hat, Red Deer et Hinton

Colombie-Britannique

Office of the Rentalsman
Bureau 1000
1050, rue Pender ouest
Vancouver
(Colombie-Britannique)
V6E 3Z4
Tél.: (604) 689-0811
ou
Office of the Rentalsman à Cranbrook, Kamloops ou Victoria

Territoires du Nord-Ouest

Consumer Services
Department of Justice and Public Services

Government of the N.W.T.
Yellowknife, N.W.T.
X1A 2L9
Tél.: (403) 873-7125

Yukon

Department of Consumer and Corporate Affairs
Government of the Yukon Territory
P.O. Box 2703
Whitehorse, Yukon
Y1A 2C6
Tél.: (403) 667-5312

Chapitre VI

L'assurance

Les consommateurs achètent toutes sortes d'assurance-vie, domiciliaire et automobile pour se protéger, ainsi que leur famille, contre les malheurs. L'assurance-vie protège la famille contre les pertes de revenus si le soutien de famille meurt ou devient invalide. L'assurance domiciliaire protège l'assuré contre les pertes dues aux incendies et autres sinistres. L'assurance-automobile protège l'assuré contre les poursuites éventuelles si le conducteur blesse grièvement d'autres personnes, contre les pertes de revenus résultant de blessures subies par le soutien de famille et contre le coût des réparations ou du remplacement de la voiture endommagée.

La plupart des gens reconnaissent l'importance de l'assurance, mais ils trouvent difficile de choisir la police qui convient, parce qu'ils comprennent mal les divers types de protection offerts, ou ne savent pas estimer leurs besoins en assurance. Dans ce chapitre, vous trouverez des renseignements qui vous aideront à prendre une décision éclairée. On y étudie la législation relative à l'assurance et on y donne des conseils sur la façon de régler les réclamations.

L'assurance-vie

Il existe trois principaux types d'assurance-vie: *assurance-vie entière, temporaire et mixte.*

L'assurance-vie entière

C'est ce genre d'assurance que la plupart des gens contractent. (Cependant ce n'est peut-être pas celui dont ils *ont besoin*. Les agents reçoivent souvent une commission supérieure sur les contrats d'assurance-vie entière et ils peuvent avoir tendance à pousser ce type de contrat. C'est peut-être pour cela que ce genre de police est si répandu.)

L'assurance-vie entière donne une protection à l'assuré jusqu'à son décès. Elle diffère des autres régimes en ce que les *primes* (payées par versements) n'augmentent pas avec l'âge. Par conséquent, elle coûte plus cher si vous êtes jeune, mais moins par la suite. Les paiements en début de contrat se comparent à des dépôts à un compte d'épargne "obligatoire" ou automatique, mais les intérêts versés sur ce capital sont inférieurs à ceux d'un compte d'épargne ordinaire.

Vous pouvez retirer de l'argent de votre "compte d'assurance" en "empruntant en vertu de la police". Toutefois, vous devrez rembourser le montant plus l'intérêt; vous payez donc pour emprunter votre propre argent. (Les compagnies veulent ainsi compenser l'intérêt qu'elles perdent en raison de votre retrait.) Si vous mourez avant d'avoir remboursé l'argent, les sommes dues seront soustraites du montant payé à vos héritiers.

L'assurance-vie temporaire

En vertu de ce genre de police, vos bénéficiaires recevront un certain montant d'argent si vous mourez au cours d'une période donnée. Si vous ne mourez pas, la police d'assurance s'éteint et la compagnie conserve votre argent. Dans la plupart des cas, la police est renouvelable jusqu'à ce que vous atteigniez 65 ans.

Contrairement aux polices d'assurance-vie entière, les primes d'assurance temporaire augmentent avec l'âge de l'assuré. Puisque les primes sont progressives et que vous n'entretenez pas un "compte d'épargne obligatoire", l'assurance temporaire est moins onéreuse que l'assurance-vie entière, mais elle ne vous donne pas la faculté d'emprunter.

L'assurance-vie mixte

Les personnes qui veulent économiser se procurent ce genre d'assurance. Vous versez des primes pendant une période déterminée (généralement 20 ans). Si vous mourez dans l'intervalle, l'assureur paiera le capital assuré à votre bénéficiaire. C'est le montant que vous auriez reçu si vous aviez vécu jusqu'au terme. Les polices d'assurance mixte sont plus onéreuses que les autres types d'assurance-vie.

Est-il nécessaire d'avoir une police d'assurance-vie?

Il faut considérer la nécessité de pourvoir aux besoins de ceux dont vous êtes le soutien. Si vous êtes célibataire et que vous n'avez aucun dépendant, vous n'avez probablement pas besoin d'assurance-vie.

Comment évaluer le montant nécessaire?

Demandez-vous: "Quel sera le revenu annuel dont mes dépendants auront besoin pour conserver leur niveau de vie actuel?" Si vous estimez qu'ils ont besoin de 20 000$ par année et qu'ils n'auront pas d'autres sources de revenu, vous aurez besoin de 200 000$ d'assurance investis à 10 p. 100. (Toutefois, cela ne tient pas compte de l'inflation...)

Il faut considérer que vous avez probablement déjà une forme quelconque d'assurance-vie; vous participez peut-être à une assurance-groupe ou à un régime de retraite auquel votre employeur contribue et le Régime de pensions du Canada vous accorde une certaine protection. Évaluez le revenu que vos dépendants retireront de ces diverses sources lorsque vous calculerez le montant d'assurance dont vous aurez besoin.

Choisissez une assurance en fonction de vos besoins

Rappelez-vous que le but principal de l'assurance-vie est de protéger le revenu du soutien de famille. N'assurez pas vos enfants à moins que vous ne songiez à établir un mode d'épargne obligatoire. Dans un tel cas, c'est une assurance-vie entière ou mixte qui convient. Au terme d'une police d'assurance mixte, vous pourrez choisir ce dont vous avez le plus besoin: une protection ou de l'argent comptant servant à une fin immédiate, par exemple les frais d'inscription d'un enfant à l'université.

L'assurance temporaire est la moins coûteuse et elle accorde une protection à vos dépendants; la plupart des experts la recommandent à cette fin.

Comparez les conditions offertes

Consultez au moins deux agents (préférablement trois) pour comparer les conditions des polices et leur coût.

Demandez aux agents si la compagnie rachètera la police quand vous le désirerez. La plupart des compagnies n'accordent pas de valeur de rachat à une police de moins de trois ans et cette valeur n'augmente que très lentement par la suite.

Demandez également les tableaux comparatifs des primes et bénéfices compensés des intérêts accumulés. (L'Association des consommateurs du Canada a publié un guide comparatif des primes d'assurance-vie pour les années 1978-1979.)

Informez votre bénéficiaire

Lorsque vous nommez un bénéficiaire dans une police d'assurance, prenez soin de l'en informer. Même si l'assureur sait que vous êtes décédé, il n'est pas légalement tenu de chercher le bénéficiaire et il ne s'y emploiera pas très énergiquement. À moins que votre bénéficiaire se fasse connaître à l'assureur, il pourrait être privé des avantages que lui attribue la police.

L'assurance-automobile

La plupart des polices d'assurance-automobile vous protègent contre quatre catégories de risques:

- La responsabilité civile — s'étend aux blessures corporelles ou aux dommages causés aux biens d'un tiers lorsque l'accident est survenu par votre faute.

- La collision concerne les réparations à votre propre voiture lorsque vous avez causé des dommages.
- L'enveloppe tous-risques: une protection contre l'incendie, le vol, le bris du pare-brise ou le vandalisme, ainsi que tout dommage causé à votre voiture, autre que ceux résultant d'une collision.
- Le décès et les blessures: pour indemniser les héritiers des personnes décédées à la suite d'un accident d'automobile. Cela permet aussi de payer des prestations pour les frais médicaux, la réadaptation ainsi qu'un revenu hebdomadaire d'invalidité pour compenser les pertes de salaire résultant d'un accident.

Comment choisir l'assureur

Le coût variera tout comme celui de l'assurance-vie; il y a donc lieu de comparer les taux et les conditions de plusieurs compagnies.

Les franchises

Vous pouvez réduire votre prime si vous optez pour la franchise la plus élevée, généralement 250$. (La "franchise" c'est la part des dommages que vous devrez payer vous-même, avant de soumettre une réclamation à votre compagnie d'assurance. Si les réparations s'élèvent à 500$ et que votre police fixe la franchise à 200$, vous devrez verser 200$ du montant des réparations et la compagnie paiera 300$.) Les experts en assurance suggèrent d'opter pour une franchise élevée parce que l'assureur augmentera sans doute votre prime chaque fois que vous soumettrez une réclamation. En général, il vaut mieux payer vous-même les réparations mineures plutôt que de charger votre dossier de conduite.

Les réclamations découlant de la clause tous-risques n'affecteront pas votre dossier.

Québec — l'assurance sans égard à la responsabilité

Le régime d'assurance-automobile du Québec protège les Québécois victimes de dommages corporels résultant d'un accident d'automobile au Québec ou ailleurs. Sans égard à la responsabilité, la Régie de l'assurance-automobile du Québec verse aux victimes ou à leur famille, selon le cas, des indemnités de remplacement de revenu, ainsi que pour blessures, préjudice esthétique, mutilation, douleurs et perte de jouissance de la vie (forfaitaire). La Régie garantit aussi le remboursement, aux taux en vigueur, de certains frais raisonnables occasionnés par l'accident pour les soins médicaux et hospitaliers, l'achat de médicaments et le transport par ambulance, et même celui des vêtements et des frais funéraires jusqu'à concurrence des maximums établis. En outre, elle assure le coût des programmes de réadaptation nécessaires à la vie normale (revue *Protégez-vous*, mai 1982).

Dans tous les cas, les modalités d'indemnisation sont déterminées par la Régie, selon une réglementation détaillée.

L'assurance domiciliaire

Le propriétaire peut généralement assurer sa maison et ce qu'elle contient ainsi que ses autres biens personnels par un contrat unique. La police de base couvre votre résidence principale et ses dépendances (garage, remise, etc.), les meubles et les objets qui composent habituellement le ménage, ainsi que vos autres biens personnels (qui se trouvent sur votre propriété ou ailleurs). Ce genre d'assurance vous protège des pertes dues aux causes suivantes:

- incendie
- foudre
- explosion
- chute d'objets
- avions
- bris de vitre

- vol
- fumée
- grêle
- ouragans
- vandalisme et malice intentionnelle
- bris des systèmes de chauffage, de plomberie, d'extinction ou de climatisation
- blessures subies par des tiers sur votre propriété

Les pièges à éviter

Lisez attentivement la police d'assurance et soyez certain que toutes les causes ci-dessus s'y trouvent; certaines conditions ou exclusions pourraient réduire la protection accordée.

L'une des difficultés, c'est qu'on ne peut généralement pas faire modifier ce genre de contrat. Il se peut donc que vous ayez à contracter plus d'assurance que vous n'en avez besoin; par ailleurs, il peut aussi arriver que votre police accuse certaines lacunes.

Vous pouvez remédier à cette dernière situation en achetant un supplément d'assurance pour couvrir des risques particuliers. Par exemple, vous devrez vous assurer pour la valeur à neuf de vos biens, plutôt que pour leur valeur dépréciée, si vous voulez obtenir une indemnité qui vous permette de les remplacer. Vous pouvez également faire ajouter des avenants pour assurer des articles particuliers comme les bijoux et les objets anciens. Cependant, la plupart des assureurs vous demanderont de les faire expertiser avant de consentir à les assurer.

Vous pouvez également vous assurer contre les sinistres généralement exclus des polices ordinaires, tels les tremblements de terre.

La mise à jour de la police d'assurance

Réexaminez votre police annuellement et, s'il y a lieu, augmentez-en les indemnités pour tenir compte des effets de l'inflation sur la valeur de votre maison et de son contenu.

Sachez que la plupart des polices sont assorties de clauses d'assurance proportionnelle obligeant les détenteurs à assurer leur maison (mais non le terrain) ainsi que son contenu jusqu'à un certain pourcentage de la valeur. Si l'indemnité maximale est inférieure à ce pourcentage, vous n'obtiendrez pas un remboursement complet en cas de sinistre.

EXEMPLE: ***B. possède une maison valant 50 000$ mais qu'il n'a assurée que pour 25 000$. Un incendie se déclare dans la cuisine et cause 20 000$ de dommages. La police de M. B. est assortie d'une clause d'assurance proportionnelle de 80 p. 100.***
Pour calculer l'indemnité que M.B. recevra de l'assureur, il faut diviser le montant assuré (25 000$) par 80 p. 100 de la valeur intégrale qui est 50 000$ (c.-à-d. 40 000$), et multiplier le quotient par le montant de la perte (20 000$). M.B. obtiendra donc 12 500$ et devra payer lui-même les 7500$ restants.

Les réclamations

Le paiement des pertes encourues

Vous devez avertir immédiatement votre assureur de tout sinistre et lui fournir les renseignements et documents qu'il exige; sinon, il pourrait se libérer de ses obligations.

Les litiges touchant les réclamations

Si l'assureur et vous-même n'êtes pas d'accord sur le montant payable, consultez votre police d'assurance. Elle prévoit tout probablement un mécanisme automatique pour régler les conflits de ce genre. En général, chaque partie retient les services d'un estimateur indépendant; l'un et l'autre nomment un tiers arbitre, le litige étant tranché à la majorité des voix.

Il est sage de ne pas convenir trop rapidement d'un règlement, particulièrement s'il y a des incidences dont on ne peut encore mesurer l'ampleur (les frais médicaux, par exemple). Si vous acceptez un règlement, cela pourrait vous priver de tout recours éventuel; une telle situation serait plutôt gênante si vous n'aviez pas évalué l'étendue de tous les dommages. En règle générale, il y a lieu de consulter un avocat avant de régler une réclamation importante ou de signer une quittance.

Les autres problèmes

Si une difficulté surgit touchant autre chose qu'une réclamation, plusieurs options s'offrent à vous avant d'intenter des poursuites contre l'assureur. Toutefois, si vous explorez ces autres avenues, n'oubliez pas que les poursuites judiciaires doivent être intentées *dans l'année qui suit la violation du contrat.* (Une police d'asurance est un contrat; veuillez revoir les aspects juridiques des contrats au chapitre II.) Pour conserver votre droit d'action, voyez un avocat et demandez-lui d'intenter des poursuites bien avant l'expiration du délai d'un an, même si vous entretenez l'espoir de résoudre le problème hors des tribunaux. Les poursuites ne vous empêcheront pas de négocier une entente et, peut-être, de régler le litige hors cour, mais vous vous assurerez un recours juridique si toutes les tentatives échouent. Voici la marche à suivre pour régler un conflit hors cour:

- Communiquez d'abord avec le siège social de la compagnie d'assurance; expliquez votre problème et demandez que la société s'en occupe.
- Si cela n'apporte aucun résultat, demandez au Bureau d'éthique commerciale ou au Bureau des assurances du Canada s'il existe dans votre province un organisme

qui s'occupe des litiges en matière d'assurance. (Vous trouverez leurs adresses à la page 200, et dans l'annexe générale à la fin de ce guide.)

- *Litiges d'assurance-vie*: Communiquez avec l'Association canadienne des compagnies d'assurance-vie. Celle-ci répond au téléphone 24 heures par jour et vous pouvez l'appeler sans frais de n'importe quel lieu au Canada (le numéro de téléphone se trouve à la page 201.)
- Si le problème n'est toujours pas résolu, écrivez ou téléphonez à votre député fédéral ou provincial. L'objectif de cette démarche est double: elle pourrait contribuer à une solution et, en même temps, elle attirera l'attention de votre député sur les difficultés qu'éprouvent ses électeurs. L'Assemblée ou le Parlement pourront en tenir compte lorsqu'ils auront à modifier les lois sur les assurances.
- Vous devriez également communiquer avec le Surintendant des assurances, nommé en vertu des lois sur les assurances pour veiller à ce que les sociétés respectent la loi.

Il y a un surintendant des assurances au niveau fédéral ainsi que dans chaque province et dans les deux territoires. (On trouvera leurs adresses à partir de la page 201.)

Si toutes ces démarches échouent, il vous reste à intenter des poursuites judiciaires.

La législation

Existe-t-il des lois fédérales ou provinciales sur l'assurance?

Tout comme le domaine immobilier, l'assurance échappe à plusieurs lois qui réglementent la consommation. Toutefois, une police d'assurance est un contrat et est soumise aux mêmes lois générales que les autres contrats. De même, les formes de rédaction et les conditions sont réglementées par les lois sur les assurances de chaque province.

Ces lois sont-elles relativement semblables dans chaque province?

Oui, à certains égards. Chacune se divise en sections traitant des diverses catégories d'assurance: incendie, vie, automobile, accidents et maladie. Ces lois établissent également certaines conditions ou exigences qui s'appliquent à tous les contrats d'assurance.

Quelles conditions sont communes à toutes les lois?

Chaque loi contient des dispositions ou des exigences précises sur les points suivants:

- *Le défaut de paiement des primes*

Toutes les polices (sauf en assurance-vie) stipulent que si vous omettez de payer une prime, la compagnie peut refuser de vous indemniser, à moins de dispositions différentes. En d'autres termes, si la prime est impayée, même si vous êtes assuré auprès de la même société depuis des années, elle n'est pas tenue de payer une réclamation, à moins qu'une clause spécifique ne l'y oblige. Une exception confirme cette règle et s'applique au paiement de la prime initiale d'une assurance-incendie ou automobile. Si vous présentez une réclamation à l'assureur, celui-ci doit régler la note même si vous avez négligé de payer la prime au moment où la police a été émise et livrée. Cependant, la compagnie peut déduire le montant de la prime de l'indemnité qu'elle vous versera.

En assurance-vie, il y a une période de grâce de 30 jours durant laquelle la police demeure en vigueur.

- *La franchise*

En vertu de certaines polices, vous êtes tenu de payer une partie des dommages. La loi exige que ce genre de clause soit clairement indiquée dans la police elle-même. Lisez soigneusement la vôtre pour savoir si elle contient une telle clause.

- *L'obligation de divulgation*

Lorsque vous faites une demande d'assurance, vous devez divulguer tous les renseignements dont l'assureur aura besoin pour calculer le risque qui fait l'objet de la police. Ainsi, il importe de mentionner les maladies graves dont vous avez déjà souffert, mais les maladies mineures n'ont pas la même importance.

Sachez aussi que le tribunal donnera plus de poids à l'opinion d'un assureur qu'à celle d'une personne quelconque pour évaluer la pertinence des renseignements exigés.

Si vous n'avez pas donné tous les renseignements jugés essentiels, la compagnie pourrait refuser d'honorer la police.

Vous êtes soumis à la même obligation s'il survient quelque changement important pendant que l'assureur est à considérer votre demande. Vous devez aviser la compagnie de toute nouvelle circonstance qui peut modifier le calcul du risque. Si vous ne le faites pas et qu'il survient un sinistre, l'assureur peut annuler la police et ne rien payer. Cela s'avère même si l'événement fâcheux n'a rien à voir avec l'augmentation du risque: ainsi, si vous avez subi une attaque cardiaque que vous avez négligé de déclarer et que vous mouriez par la suite des blessures subies dans un accident de la route, l'assureur pourrait refuser d'indemniser vos bénéficiaires parce que l'attaque cardiaque lui était demeurée inconnue.

En règle générale, il faut donner le plus de renseignements possible à la compagnie afin d'éviter les complications inutiles.

• *Les déclarations inexactes*

Si vous faites une déclaration inexacte au sujet d'un fait important, la compagnie peut annuler la police. Ici encore, c'est principalement la compagnie qui jugera de l'importance des renseignements et non l'assuré. Toutefois, les déclarations touchant l'âge de ce dernier font exception si on traite d'assurance-vie. Les lois exigent que la compagnie respecte la police, mais l'indemnité pourra être modifiée en fonction de l'âge réel du sujet.

• *L'indemnité accrue*

Si vous voulez accroître votre indemnité, vous devriez vous adresser à la compagnie qui vous assure déjà ou l'aviser que vous souscrivez une police supplémentaire auprès d'une autre compagnie. Si vous ne le faites pas, le premier assureur pourrait refuser de vous indemniser ou pourrait réduire considérablement une réclamation éventuelle. Cela s'avère tout particulièrement si la perte ou le dommage résulte d'un incendie.

En quoi les lois provinciales sur l'assurance diffèrent-elles?

Les lois provinciales sur l'assurance diffèrent sur les points suivants: le montant d'assurance touchant la responsabilité civile que doivent détenir les conducteurs, l'organisme qui offre l'assurance automobile obligatoire et les avantages dont bénéficient les assurés "sans égard à la faute" dans certaines provinces.

En ce qui touche la responsabilité civile, quel montant d'assurance exige-t-on des conducteurs dans la plupart des provinces?

La "responsabilité civile" est l'indemnité que vous (ou votre assureur) pourriez être tenu de payer pour les blessures et les dommages infligés à un tiers (ou à ses biens) à la suite d'un accident dont vous êtes la cause. Le montant d'assurance qu'imposent les provinces à ce chapitre varie de 50 000$ à 100 000$. Cependant, étant donné que ce genre de réclamation peut être très élevée, on recommande généralement aux conducteurs de s'assurer pour au moins 500 000$.

Quelles provinces s'octroient la souscription des polices d'assurance pour la responsabilité civile?

Manitoba
Saskatchewan
Colombie-Britannique

Ces provinces ont institué un système d'assurance obligatoire administré par des sociétés de la Couronne provinciales. (En conséquence, vous ne pouvez vous adresser à un autre assureur, tout au moins en ce qui a trait à la portion *obligatoire* de votre assurance. Toutefois, vous pouvez confier la portion *excédant* le montant obligatoire soit à la société de la Couronne, soit à un assureur privé.)

Qu'est-ce que l'assurance "sans égard à la faute"?

Il s'agit des indemnités que vous reconnaît votre police d'assurance quelle que soit la personne responsable de l'accident. Ces indemnités sont indépendantes de toute autre prestation à laquelle vous avez droit (par exemple, l'assurance-chômage); vous n'avez donc pas à vous soucier de perdre les autres prestations du simple fait que vous receviez une indemnité sans égard à la faute. Votre réclamation peut se fonder sur des blessures corporelles, la perte de salaire, les frais funéraires et médicaux.

Québec

L'indemnité d'assurance-automobile que reçoit l'assuré dépend du montant des prestations d'accident que lui attribuent les autres régimes d'assurance sociale.

Quelles provinces ont un régime d'assurance sans égard à la faute?

Toutes les provinces ont un système quelconque d'assurance sans égard à la faute sauf l'Île-du-Prince-Édouard, la Nouvelle-Écosse et Terre-Neuve.

Si vous êtes blessé dans un accident de la route, avisez immédiatement votre assureur et réclamez l'indemnité à laquelle vous avez droit.

Annexe

Où se renseigner ou déposer une plainte

Assurances générales (autres que l'assurance-vie)

Provinces de l'Atlantique	Insurance Bureau of Canada 1505, rue Barrington 12e étage Halifax (Nouvelle-Écosse) B3J 3K5 Tél.: (902) 429-2730 Appels sans frais des provinces de l'Atlantique: 1-800-565-7189
Québec	Bureau des assurances du Canada Bureau 920 Maison du Commerce 1080, côte Beaver Hall Montréal (Québec) Tél.: (514) 866-9801
	Régie de l'assurance automobile du Québec 1120, rue Crémazie est Montréal (Québec) H2P 2N3

Ontario

Insurance Bureau of Canada
(Siège social)
181, avenue University
13e étage
Toronto (Ontario) M5H 3M7
Tél.: (416) 362-2031

Alberta

Insurance Bureau of Canada
Bureau 1105, Empire Building
10080, avenue Jasper
Edmonton (Alberta) T5J 1V9
Tél.: (403) 423-2212

Colombie-Britannique

Insurance Bureau of Canada
409, rue Granville
Bureau 1050
Vancouver
(Colombie-Britannique)
V6C 1W9
Tél.: (604) 684-3635

Assurance-vie

Canada

Association canadienne des
compagnies d'assurance-vie
55, avenue University
Toronto (Ontario) M5J 2K7
Appels sans frais:
1-800-261-8663

Surintendants des assurances

Fédéral

15e étage, Tour Est
L'Esplanade Laurier
140, rue O'Connor
Ottawa (Ontario) K1A 0H2
Tél.: (613) 996-8603

Provinces et territoires

Terre-Neuve	Confederation Building St. John's (Terre-Neuve) A1T 5T7 Tél.: (709) 737-2594
Nouvelle-Écosse	C.P. 998 Halifax (Nouvelle-Écosse) B3J 2X3 Tél.: (902) 424-7793
Nouveau-Brunswick	Ministère de la Justice C.P. 6000 Fredericton (Nouveau-Brunswick) E3B 5H1 Tél.: (506) 453-2541
Île-du-Prince-Édouard	C.P. 2000 Charlottetown (Île-du-Prince-Édouard) C1A 7N8 Tél.: (902) 892-5411
Québec	800, place d'Youville Bureau 803 Québec (Québec) G1R 4Y5 Tél.: (418) 643-5783
Ontario	6e étage, 555, rue Yonge Toronto (Ontario) M7A 2H6 Tél.: (416) 963-0493
Manitoba	1142 — 405, avenue Broadway Winnipeg (Manitoba) R3C 3L6 Tél.: (204) 944-2542

Saskatchewan	308-1919, rue Rose Regina (Saskatchewan) S4P 3P1 Tél.: (306) 565-2958
Alberta	9e étage Capitol Square 10065, avenue Jasper Edmonton (Alberta) T5J 3B1 Tél.: (403) 427-2244
Colombie-Britannique	1050, rue Pender ouest 8e étage Vancouver (Colombie-Britannique) V6E 3S7 Tél.: (604) 682-7031
Territoires du Nord-Ouest	Government of the N.W.T. Yellowknife (T.N.-O.) X0E 1H0 Tél.: (403) 873-7555
Yukon	Government of the Yukon Territory C.P. 2703 Whitehorse (Yukon) Y1A 2C6 Tél.: (403) 667-5257

Chapitre VII

Comment préparer une plainte

Un peu de prévention...

Dans les chapitres précédents, nous vous suggérons divers moyens d'éviter les ennuis coûteux qui peuvent résulter de l'achat de biens ou services. Voici quelques points qui peuvent vous être utiles:

- Comparez les prix et la qualité avant de faire un achat. Si possible, consultez une source indépendante de renseignements (les revues *Le Consommateur canadien, Protégez-vous* ou les *Consumer Reports*) pour orienter objectivement votre décision. Communiquez également avec le Bureau d'éthique commerciale (Better Business Bureau) pour savoir si l'établissement a fait l'objet de plaintes. Cela est particulièrement important dans le champ de la rénovation domiciliaire.
- Lisez attentivement le contenu d'un contrat *avant* de le signer.
- Ne vous contentez pas d'une entente verbale: il est trop difficile d'en établir la preuve. Si possible, faites consigner par écrit toute entente verbale.
- Lorsque vous demandez une estimation pour un service, comme dans les cas de la rénovation domiciliaire, exigez qu'elle soit détaillée et définitive et qu'on vous la confirme par écrit.
- Ne vous laissez jamais pousser à faire un achat contre votre gré.

... Et beaucoup de recours

Malgré ces précautions, même les consommateurs les plus avertis peuvent parfois être confrontés à une situation embarrassante. Bien des gens préfèrent ignorer un déboire ou le passer au compte des expériences coûteuses. Toutefois, si votre plainte est fondée, vous devriez y donner suite. Si vous rejetez un produit ou un service ou si vous changez de fournisseur, cela ne réglera pas votre problème et, surtout, ne protégera pas les autres consommateurs contre les abus dont vous avez été victime.

Les conseils qui suivent vous seront utiles pour mener une plainte avec succès. Souvenez-vous, toutefois, qu'il peut être difficile de régler certains probèmes; soyez patient et n'abandonnez pas la partie au premier revers.

Les étapes à suivre pour déposer une plainte

1. Adressez-vous d'abord au vendeur ou à la vendeuse qui vous a servi ou au chef de rayon. (Apportez tout document pertinent, reçu, garantie, etc.) Demandez et notez le nom de la personne à qui vous vous adressez: elle se sentira plus concernée. Si vous n'obtenez pas de résultats rapidement, passez à l'étape suivante.
2. Écrivez une lettre "personnelle" au président de la compagnie ou au vice-président chargé des relations avec la clientèle. (Les bibliothèques publiques ont généralement des répertoires donnant les nom et adresse des principaux directeurs de grandes sociétés.) Faites état des circonstances de la vente, de vos motifs d'insatisfaction et des réponses qu'on vous a données; joignez des doubles (jamais les originaux) de vos reçus ou des autres documents. Demandez au président ou au vice-président de s'assurer personnellement que la plainte sera réglée à votre satisfaction. Le ton de votre lettre devrait être poli mais ferme. (Voir le modèle ci-après.)

Modèle d'une lettre de plainte

134, rue Impasse ouest
Ville Fictive (Québec)
J9R 3B7

Le 21 août 1980

Mme Sylvie Coderre, présidente
Produits Miro inc.
1919, boul. Trépied
Val-Omer (Québec)

Madame,

Le 17 juin 1980, j'ai acheté une jupe et un chandail à votre magasin de l'avenue Bon-Air à Val-Omer (Québec).

Au début de juillet, j'ai lavé l'ensemble en suivant les indications de l'étiquette, mais le chandail s'est tellement étiré que je ne puis plus le porter. J'ai rapporté l'ensemble au gérant du magasin, M. Henri Arnauld, le 17 juillet, mais il a refusé de le remplacer ou de me proposer un remboursement ou une note de crédit.

Dans ces circonstances, je m'estime être en droit de réclamer le remboursement intégral du prix d'achat de l'ensemble (la jupe ne m'est d'aucune utilité sans le chandail) et je vous serais très reconnaissante de veiller personnellement à ce que le remboursement me parvienne le plus rapidement possible.

Si vous voulez plus de renseignements, veuillez communiquer avec moi à l'adresse ci-dessus, ou me téléphoner au (604) 667-4777 durant les heures d'affaires ou au (604) 223-6666 après 17 h 30.

Veuillez agréer, Madame, l'expression de mes sentiments les meilleurs.

Alice Lebrun

La plupart des entreprises sérieuses ne prendront pas une telle lettre à la légère; vous devriez obtenir de prompts résultats. Prenez soin d'indiquer vos nom, adresse et numéros de téléphone (à domicile et au travail) et conservez des doubles de toute correspondance. Si cette démarche n'aboutit pas, prenez, parmi les mesures qui suivent, celle qui vous semble la plus appropriée.

3. Écrivez à l'organisation qui représente le genre d'entreprise avec laquelle vous traitez. Par exemple, le Conseil des normes publicitaires représente l'industrie de la publicité, le Bureau d'éthique commerciale représente une grande variété de maisons de commerce dont les magasins et les établissements de services.

Bon nombre de ces associations ont adopté des mécanismes pour résoudre les plaintes et vous aideront à traiter avec les établissements qui en sont membres. Les adresses des Bureaux d'éthique commerciale apparaissent dans l'annexe de ce chapitre; les bibliothèques publiques peuvent également vous aider à trouver le nom de l'association compétente

ou

si votre journal local publie une chronique destinée aux consommateurs, profitez-en. Fournissez au journal toute la documentation que vous possédez (contrats, reçus, etc.). Les journaux ont beaucoup de poids pour intervenir entre les consommateurs et les entreprises qui se soustraient à leurs obligations. Celles-ci craignent de subir une mauvaise publicité ou de perdre leurs privilèges de réclame dans les journaux.

4. Adressez-vous au bureau provincial ou fédéral de la protection du consommateur. Les deux niveaux de gouvernement ont des services qui tenteront de régler le différend à l'amiable. Vous trouverez les adresses des bureaux fédéraux et provinciaux de la protection du consommateur à partir de la page 218. En règle générale, vous pouvez suivre les indications suivantes pour déterminer le bureau compétent:

Genre de plainte	Bureau à contacter
Emballage et étiquetage Poids et mesures Sûreté des produits	Bureau régional de Consommation et Corporations Canada
Publicité trompeuse	Consommation et Corporations Canada *ou* le ministère provincial responsable de la protection des consommateurs. Au Québec, l'Office de la protection des consommateurs
Autres problèmes	Les ministères provinciaux responsables de la protection des consommateurs. Au Québec, l'Office de la protection des consommateurs

Le gouvernement fédéral aussi bien que les gouvernements provinciaux s'occupent des plaintes touchant la publicité trompeuse. Si vous confondez les compétences, on vous indiquera généralement le bureau qui peut vous être utile. Habituellement, le gouvernement fédéral s'occupe des plaintes concernant la publicité dans les media nationaux, tandis que les administrations provinciales s'intéressent plutôt à celle qui paraît localement. Envoyez toujours un double de votre lettre au président de l'entreprise visée.

Si toutes ces démarches ont échoué, il vous reste deux issues: l'arbitrage et les poursuites judiciaires.

5. Le Bureau d'éthique commerciale offre actuellement un service d'arbitrage à Edmonton, Calgary, Vancouver, Kitchener/Waterloo, Winnipeg et Halifax et il envisage d'étendre ce service à d'autres bureaux à travers le pays. Pour entendre leur différend, les parties choisissent une personne dont le nom apparaît sur une liste d'arbitres volontaires acceptés et formés par le Bureau d'éthique commerciale. Si aucun arbitre

ne convient à la fois aux deux parties, chacune d'elles désigne le sien; ces deux arbitres en nomment un troisième et la décision se prend à la majorité des voix.

Un arbitre peut entendre tout genre d'affaires quel que soit le montant de la réclamation.

EXEMPLE: ***Le premier cas d'arbitrage, en Colombie-Britannique, mettait en cause un teinturier. La cliente se plaignait que les retouches faites à une robe de 40$ n'étaient pas satisfaisantes, tandis que le teinturier estimait qu'elles l'étaient. L'arbitre décida que ce dernier était responsable à 60 p. 100 et lui ordonna de payer la somme de 24$ à la cliente.***

Ce service est gratuit et plus rapide que l'audience d'un tribunal. Cependant, le Bureau d'éthique commerciale exige que les deux parties se conforment à la décision de l'arbitre: vous renoncez donc à votre droit d'intenter des poursuites judiciaires si vous choisissez ce procédé.

6. Si vous décidez d'intenter des poursuites judiciaires au lieu de recourir à l'arbitrage, vous pourrez peut-être vous adresser à la Cour des petites créances. Le montant de la plainte ne doit pas dépasser quelques centaines de dollars, 800$ au Québec. Ce genre de tribunal fonctionne dans toutes les provinces; les frais sont généralement minimes (une vingtaine de dollars) et la procédure très simplifiée. Ces tribunaux règlent les litiges rapidement et de façon efficace.

Sauf au Québec, vous pouvez vous faire représenter par un avocat devant les tribunaux des petites créances, mais dans toutes les provinces, vous pouvez aussi présenter votre cause sans avoir recours aux services d'un procureur. Si vous vous faites représenter, il se peut que les règles du tribunal vous interdisent de recouvrer les honoraires de votre avocat ou ne vous en accordent qu'une partie si vous avez gain de cause.

Vous pouvez présenter votre cause et la plaider vous-même. Le greffier du tribunal vous aidera à rédiger votre plainte et à la faire signifier à l'autre partie. Les programmes universitaires d'aide juridique et les services d'information du Barreau peuvent également vous renseigner sur la procédure du tribunal des petites créances et sur la façon de plaider vous-même votre cause. (Vous trouverez les adresses de ces services à partir de la page 232.)

Île-du-Prince-Édouard

Les services de médiation du tribunal peuvent également vous venir en aide.

Le jour de l'audience, vous devriez vous munir de toute la correspondance, reçus et autres documents pertinents à la transaction. (Il est souvent utile d'apporter également des photographies, particulièrement si vous vous plaignez d'un travail négligé: peinture gâchée ou armoires de cuisine mal installées.) Faites en sorte de faire témoigner un tiers (ainsi, si le litige concerne une réparation de voiture, il pourrait être nécessaire de faire témoigner un mécanicien).

Si vous avez gain de cause, vous serez normalement payé par le défendeur (l'établissement ou la personne contre qui vous avez formulé une plainte) mais s'il refuse de payer, vous pourrez faire exécuter le jugement en pratiquant une saisie-arrêt sur son compte bancaire ou son salaire, ou en saisissant ses biens. (Voir à la page 102.)

Adressez-vous au bureau provincial de la protection du consommateur pour obtenir l'adresse de la Cour des petites créances la plus proche.

Tribunaux des petites créances

Provinces ou territoires	Limite des réclamations	Recours à un avocat	Limite au remboursements des honoraires de l'avocat
Terre-Neuve	1000$	oui	Remboursement à la discrétion du tribunal
Nouvelle-Écosse	2000$	oui	Interdiction de recouvrer les honoraires de l'avocat
Île-du-Prince-Édouard	500$	oui	
Nouveau-Brunswick	750$	oui	Interdiction de recouvrer les honoraires de l'avocat
Québec	800$	non	
Ontario	1000$	oui	Remboursement jusqu'à 50$ sur les réclamations de 200$ et plus
Manitoba	500$	oui	Possibilité de recouvrer jusqu'à 10 p. 100 du montant du jugement
Saskatchewan	1000$	oui	Interdiction de recouvrer les honoraires de l'avocat
Alberta	1000$	oui	Remboursement à la discrétion du tribunal

Colombie-Britannique	2000$	oui	Interdiction de recouvrer les honoraires de l'avocat
Territoires du Nord-Ouest	500$	oui	Aucune
Yukon	1500$	oui	Interdiction de recouvrer les honoraires de l'avocat

Si vous décidez d'entamer des procédures pour un montant supérieur à la compétence de la Cour des petites créances de votre province, vous devriez consulter un avocat. Si cela n'est pas à la portée de votre bourse, adressez-vous à l'Aide juridique provinciale ou à un service étudiant d'aide juridique, ou encore au service d'information du Barreau. On pourra vous indiquer s'il y a lieu d'entreprendre des poursuites judiciaires sans que cela vous coûte trop cher; on pourra aussi vous recommander un avocat susceptible de vous représenter.

EXEMPLE: ***Un certain nombre de consommateurs de la région de Toronto avaient été lésés par des compagnies qui leur avaient vendu des congélateurs avec un programme d'achat d'aliments. Les contrats initiaux avaient été signés avec des compagnies de produits alimentaires, mais celles-ci les avaient vendus à une société de crédit. Lorsque la qualité et l'approvisionnement des produits ont décliné, plusieurs consommateurs ont cessé de faire leurs versements. La société de crédit les a alors poursuivis. Certains consommateurs se sont plaints au bureau de la protection du consommateur et, après enquête, celui-ci les a dirigés vers un service***

étudiant d'aide juridique. Toutes les causes ont été réglées sans frais pour les plaignants; de nombreux autres consommateurs, qui n'avaient pas porté plainte, ont été condamnés par défaut à payer la société de crédit.

7. Si vous pensez n'être pas seul à éprouver un ennui ou qu'il y va de la sécurité d'autres consommateurs (par exemple, le câblage défectueux d'un appareil), vous pourriez le signaler à votre journal local ou à un poste de radio ou de télévision. Certaines tribunes des consommateurs s'intéressent tout particulièrement à ce genre de problème.
8. Si vous connaissez plusieurs autres personnes qui ont à se plaindre d'un certain produit ou d'un service, vous envisagerez peut-être d'entreprendre une action collective. Les poursuites judiciaires collectives ou "recours collectifs" ne sont pas encore fréquents au Canada, mais le gouvernement fédéral et plusieurs gouvernements provinciaux se proposent d'assouplir la législation à cet égard. Ce mécanisme permet à un consommateur lésé d'intenter des poursuites contre une entreprise au nom de tout un groupe de consommateurs ayant les mêmes raisons de se plaindre, mais qui, sans cela, auraient trouvé irréaliste d'entamer individuellement des procédures.

Québec

Le Code de procédure civile prévoit le recours collectif.

Colombie-Britannique

La *Trade Practice Act* prévoit certains types de recours collectif.

Les méthodes de protestation collective comme le boycottage ou le piquetage peuvent donner des résultats, mais peuvent facilement enfreindre la loi, ce qui serait de nature à multiplier vos ennuis. Vous seriez mieux avisé de mener une campagne de pression intensive pour faire modifier la loi. L'Association des consommateurs du Canada et ses bureaux provinciaux, entre autres, sont très actifs en ce domaine. Demandez conseil au bureau le plus proche. (Vous en trouverez l'adresse et le numéro de téléphone à partir de la page 238.)

Annexe

Où obtenir de l'aide

Consommation et Corporations Canada

Provinces de l'Atlantique

5e étage, Édifice Sir Humphrey Gilbert
165, rue Duckworth
St. John's (Terre-Neuve)
A1C 1G4
Tél.: (709) 737-5514

5e étage, Tour Herald
4, avenue Herald, C.P. 1048
Corner Brook (Terre-Neuve)
A2H 4B7
Tél.: (709) 639-8958

17e étage, Queen Square
45, Alderney Drive
Darmouth (Nouvelle-Écosse)
B2Y 2N6
Tél.: (902) 426-6080

Bureau 245, Édifice Fédéral
Intersection des rues
Dorchester et Charlotte
Sydney (Nouvelle-Écosse)
B1P 5Z2
Tél.: (902) 593-7765

2e étage, Édifice Fédéral
633, rue Queen
Fredericton
(Nouveau-Brunswick)
E3B 1C3
Tél.: (506) 452-3040

Édifice Norwick Union
2e étage
100, rue Cameron
Moncton
(Nouveau-Brunswick)
E1C 5Y6
Tél.: (506) 858-2930

3e étage, Bureau 4
Édifice du Dominion
Charlottetown
(Île-du-Prince-Édouard)
C1A 4A9
Tél.: (902) 894-5524

Québec

1410, rue Stanley
Montréal (Québec) H3A 1P8
Tél.: (514) 283-5394

410, boul. Charest est
Québec (Québec) G1K 8J3
Tél.: (418) 694-4491

1335, rue King o.
Bureau 402
Sherbrooke (Québec) J1J 2B8
Tél.: (819) 565-4723

222, rue des Forges
2e étage
Trois-Rivières (Québec)
G9A 2G7
Tél.: (819) 374-8972

Ontario

7e étage
25, avenue St. Clair est
Toronto (Ontario) M4T 1M2
Tél.: (416) 966-8124

6e étage
4900, rue Yonge
Willowdale (Ontario)
M2N 6B8
Tél.: (416) 224-4065
(publicité trompeuse
seulement)

457, rue Richmond
C.P. 577
London (Ontario) N6A 4W8
Tél.: (519) 679-4032

1283, rue Sparks
Sudbury (Ontario) P3A 2C7
Tél.: (705) 675-0631

430, rue Waterloo sud
Thunder Bay (Ontario)
P7E 6E4
Tél.: (807) 623-5265

240, rue Bank, 2e étage
Édifice Brunswick
Ottawa (Ontario) K2P 1X2
Tél.: (613) 995-0853

20, rue Hughson sud
Hamilton (Ontario) L8N 2A1
Tél.: (416) 523-2291

Région des Prairies

201-260, avenue St. Mary
Bureau 201
Winnipeg (Manitoba)
R3C 0M6
Tél.: (204) 949-3674

2212, rue Scarth
Regina (Saskatchewan)
S4P 2J6
Tél.: (306) 569-5378

3421 — 8th Street East
Saskatoon (Saskatchewan)
S7H 0W5
Tél.: (306) 665-4292

Édifice Oliver
10225, 100e Avenue
Edmonton (Alberta) T5J 0A1
Tél.: (403) 420-2481

2919 — 5th Avenue
North-East
Calgary (Alberta) T2A 4X4
Tél.: (403) 231-5601

Colombie-Britannique

C.P. 10059
25e étage,
Pacific Centre Limited
700, rue Georgia ouest
Vancouver
(Colombie-Britannique)
V7Y 1C9
Tél.: (604) 666-6971

299, rue Victoria
7e étage, bureau 708
Prince George
(Colombie-Britannique)
V2L 5B8
Tél.: (604) 562-7235

Bureau 401
1230, rue Government
Victoria
(Colombie-Britannique)
V8W 1Y3
Tél.: (604) 388-3341

Bureau 303
471, Queensway
Kelowna
(Colombie-Britannique)
V1Y 6S5
Tél.: (604) 763-5902

Administration centrale

Place du Portage
50, rue Victoria
Hull (Québec) K1A 0C9
Tél.: (819) 997-2938

Bureaux de la protection du consommateur dans les provinces et territoires

Terre-Neuve

Department of Consumer Affairs
Tours Elizabeth
C.P. 999
St. John's (Terre-Neuve)
A1C 5T7
Tél.: (709) 737-2600

bureaux régionaux

C.P. 444
Édifice Richard Squires
Corner Brook (Terre-Neuve)
A2H 6E3
Tél.: (709) 639-9111

C.P. 777
Édifice Provincial
Grand Falls (Terre-Neuve)
A0A 1W9
Tél.: (709) 489-5771

Nouvelle-Écosse

Consumer Services Bureau
C.P. 998
5151, Terminal Road
Halifax (Nouvelle-Écosse)
B3J 2X3
Tél.: (902) 424-4690

Bureaux régionaux

503, Édifice Maritime
Rue Provost
C.P. 236
New Glasgow
(Nouvelle-Écosse) B2H 5E3
Tél.: (902) 752-0975

Édifice Provincial
Rue Prince
Sydney (Nouvelle-Écosse)
B1P 5L1
Tél.: (902) 539-8230

2e étage, Édifice Provincial
120, rue Exhibition
Kentville (Nouvelle-Écosse)
B4N 1C6
Tél.: (902) 678-7918

29, rue Main
C.P. 130
Springhill (Nouvelle-Écosse)
B0M 1X0
Tél.: (902) 597-2262

C.P. 624
Édifice Provincial
Port Hawkesbury
(Nouvelle-Écosse)
B0E 2V0
Tél.: (902) 625-2691

Bureaux ouverts à temps partiel

Attn: George Peters
Édifice Provincial
Rue Prince
Sydney (Nouvelle-Écosse)
B1P 5L1
Tél.: (902) 539-8230

Attn: Calvin Jones
Édifice Provincial
Rue James
Antigonish (Nouvelle-Écosse)
Tél.: (902) 863-3610

C.P. 262
Amherst (Nouvelle-Écosse)
B4H 3Z2
Tél.: (902) 667-7544

Édifice Social Services
C.P. 460
Yarmouth (Nouvelle-Écosse)
B5A 4B4
Tél.: (902) 742-7871

Nouveau-Brunswick

Consumer and Corporate Services
Branch Consumer Bureau
C.P. 6000
Fredericton
(Nouveau-Brunswick)
E3B 5H1
Tél.: (506) 453-2659

Île-du-Prince-Édouard

Department of Community Affairs
Consumer Services Division
C.P. 2000
Charlottetown
(Île-du-Prince-Édouard)
C1A 7N8
Tél.: (902) 892-5321
Appels sans frais:
Zenith 0-7723

Québec

Office de la protection du consommateur
6, rue de l'Université
1er étage
Québec (Québec) G1R 5J8
Tél.: (418) 643-1571

Bureaux régionaux

5199, rue Sherbrooke est
Bureau 3671, Aile A
Montréal (Québec) H1T 3X2
Tél.: (514) 256-5061

140, rue de la Cathédrale
Rimouski (Québec) G5L 5H8
Tél.: (408) 724-6692

2481, rue Saint-Dominique
Jonquière (Québec) G7X 6K4
Tél.: (418) 547-5741

100, rue Laviolette, 2e étage
Trois-Rivières (Québec)
G9A 5S9
Tél.: (819) 374-2424

740, rue Galt ouest
Bureau 202
Sherbrooke (Québec) J1H 1Z3
Tél.: (819) 566-4266

715, boul. Saint-Joseph
Hull (Québec) J8Y 4B6
Tél.: (819) 770-9004

7105, rue Saint-Hubert
1er étage
Montréal (Québec) H2S 2N1
Tél.: (514) 270-7216

906, rue de l'Université
5e étage
Québec (Québec) G1R 5G8
Tél.: (418) 643-8652

170, rue Principale
2e étage
Rouyn (Québec) J9X 4P7
Tél.: (819) 762-2355

85, rue de Martigny ouest
Saint-Jérôme, Terrebonne
(Québec)
J7Y 3R8
Tél.: (514) 432-3110

101, place Charles-Lemoyne
Bureau 223,
Édifice Port-de-Mer
Longueuil (Québec) J4K 4Z1
Tél.: (514) 463-1888

Case postale 1418
Édifice Pierre-Fortin
Rue de la Cathédrale
Gaspé (Québec) G0C 1R0
Tél.: (418) 368-4141

466, rue Arnaud
Sept-Îles (Québec)
G4R 3A9
Tél.: (418) 968-8581

Ontario

Consumer Services Bureau
555, rue Yonge
Toronto (Ontario) M7A 2H6
Tél.: (416) 963-0321

Bureaux régionaux

C.P. 2112
119, rue King ouest
5e étage
Hamilton (Ontario)
L8N 3Z9
Tél.: (416) 521-7554

C.P. 5600, Succursale A
London (Ontario) N6A 2P3
Tél.: (519) 679-7150

1673, avenue Carling
Bureau 102
Ottawa (Ontario) K2A 1C4
Tél.: (613) 725-3679

139, rue George nord
Peterborough
(ontario) K9J 3G6
Tél.: (705) 743-8728

444, rue Queen est
Sault-Sainte-Marie
(Ontario) P6A 1Z7
Tél.: (705) 949-0332

199, rue Larch
5e étage
Sudbury (Ontario)
P3E 5P9
Tél.: (705) 675-4378

C.P. 5000
Ontario Goverment
Building
Thunder Bay
(Ontario) P7C 5G6
Tél.: (807) 475-1641

250, avenue Windsor
6e étage
Windsor (Ontario)
N9A 6V9
Tél.: (519) 254-6413

119, rue King ouest
C.P. 2122, 5e étage
Hamilton (Ontario)
L8N 2A1
Tél.: (416) 521-7554

Manitoba

Manitoba Consumers' Bureau 307
rue Kennedy
Winnipeg (Manitoba)
R3C 0V8
Tél.: (204) 956-2040
De tout endroit dans la province, hors de Winnipeg, veuillez appeler sans frais:
1-800-262-8844

Saskatchewan

Department of Consumer Affairs
1871, rue Smith
Regina (Saskatchewan)
S4P 3V7
Tél.: (306) 565-5550

Bureau régional

8e étage
224 — 4th Avenue South
Saskatoon (Saskatchewan)
S7K 5M5
Tél.: (306) 664-5725

Alberta

Department of Consumer and Corporate Affairs
9945-50 Street
Edmonton (Alberta)
T6A 0L4
Tél.: (403) 427-5782

Bureaux régionaux

Centre 70
7015, MacLeod Trail
sud-ouest
Calgary (Alberta)
T2H 2M9
Tél.: (403) 261-6107

3e étage,
Centre Capilano
9945, 50e Rue
Edmonton (Alberta)
T6A 0L4
Tél.: (403) 425-5782

9809, rue Main
Fort McMurray (Alberta)
T9H 1T7
Tél.: (403) 743-7231

Bureau 501,
Édifice Professional
740, 4e Avenue sud
Lethbridge (Alberta)
T1J 4A9
Tél.: (403) 329-5360

2e étage,
Édifice Provincial
9621, 96e Avenue
Peace River (Alberta)
T0H 2X0
Tél.: (403) 624-6214

C.P. 5002
4920, 51e Rue
Red Deer (Alberta)
T4N 5Y5
Tél.: (403) 343-5241

Colombie-Britannique

Ministry of Consumer and Corporate Affairs
Department of Consumer Services
940, rue Blanshard
Victoria
(Colombie-Britannique)
V8W 3E6
Tél.: (604) 387-6831

Bureaux régionaux

521, rue Seymour
Kamloops
(Colombie-Britannique)
V2C 2G8
Tél.: (604) 374-5676

6e étage
Édifice Oxford
280, rue Victoria
Prince George
(Colombie-Britannique)
V2L 4X3
Tél.: (604) 562-9331

6e étage
1130, rue Pender ouest
Vancouver
(Colombie-Britannique)
V6E 4A4
Tél.: (604) 668-2911

25-1150 avenue Terminal nord
Nanaimo
(Colombie-Britannique)
V9S 5L6
Tél.: (604) 753-7151

Territoires du Nord-Ouest

Consumer Services
Department of Justice
and Public Services
Gouvernement des Territoires
du Nord-Ouest
Yellowknife
(Territoires du Nord-Ouest)
X1A 2L9
Tél.: (403) 873-7125

Territoire du Yukon

Department of Consumer and
Corporate Affairs
Gouvernement du Territoire
du Yukon
C.P. 2703
Whitehorse (Yukon)
Y1A 2C6
Tél.: (403) 667-5312

Services d'aide juridique en vigueur dans les provinces et territoires

Terre-Neuve

Newfoundland Legal Aid
Commission
21, rue Churchill
St. John's (Terre-Neuve)
A1C 3Z8
Tél.: (709) 753-7860

Nouvelle-Écosse

Nova Scotia Legal Aid
Bureau 301
5212, rue Sackville
Halifax (Nouvelle-Écosse)
B3J 1K6
Tél.: (902) 423-1291

Nouveau-Brunswick

Aide juridique
du Nouveau-Brunswick
C.P. 666
358, rue King
Fredericton
(Nouveau-Brunswick)
E3B 5B4
Tél.: (506) 455-9976

Île-du-Prince-Édouard

Office of the Public
Defender
Édifice Law Courts
C.P. 2200
42, rue Water
Charlottetown
(Île-du-Prince-Édouard)
C1A 8B9
Tél.: (902) 892-5409

Québec

Commission des Services
juridiques
Tour de l'Est
2, Complexe Desjardins
Montréal (Québec)
H5B 1B3
Tél.: (514) 873-3562

Ontario	Ontario Legal Aid Plan Bureau 1000 145, rue King ouest Toronto (Ontario) M5H 3L7 Tél.: (416) 361-0766
Manitoba	Legal Aid Manitoba 325, avenue Portage Winnipeg (Manitoba) R3B 2B9 Tél.: (204) 947-6501
Saskatchewan	The Saskatchewan Community Legal Services Commission 311 — 21st Street East Saskatoon (Saskatchewan) S7K 0C1 Tél.: (306) 664-5300
Alberta	Legal Aid Society of Alberta 4e étage, Édifice Melton 10310, avenue Jasper Edmonton (Alberta) T5J 2W4 Tél.: (403) 427-7575
Colombie-Britannique	The Legal Services Society of British Columbia 195, rue Alexander 2e étage Vancouver (C.-B.) V6A 1N3 Tél.: (604) 687-1831

Territoires du Nord-Ouest

Legal Aid
Gouvernement des Territoires
du Nord-Ouest
C.P. 1320
Yellowknife
(Territoires du Nord-Ouest)
X1E 2L9
Tél.: (403) 873-7450

Yukon

Legal Aid Yukon
Bureau 235,
Édifice Fédéral
Whitehorse (Yukon)
Y1A 2B5
Tél.: (403) 667-5210

Organisme privés

Bureaux d'éthique commerciale

Terre-Neuve

BBB of Newfoundland
and Labrador
C.P. 516
St. John's
(Terre-Neuve) A1C 5K4
Tél.: (709) 722-2222

Nouvelle-Écosse

BBB of the Maritimes
C.P. 2124
Halifax (Nouvelle-Écosse)
B3J 3B7
Tél.: (902) 422-6581

Québec

Bureau d'éthique commerciale
de Montréal
2055, rue Peel
Bureau 460
Montréal (Québec)
H3A 1V4
Tél.: (514) 286-9281

Bureau d'éthique commerciale
du Québec
475, rue Richelieu
Québec (Québec) G1R 1K2
Tél.: (418) 523-2555

Ontario

Bureau d'éthique commerciale
d'Ottawa et Hull
Bureau 503
71, rue Bank
Ottawa (Ontario)
K1P 5N2
Tél.: (613) 237-4856

BBB of Metropolitan
Toronto
Bureau 901
321, rue Bloor est
Toronto (Ontario)
M4W 3K6
Tél.: (416) 961-0088

BBB of Hamilton
and District
170, rue Jackson est
Hamilton (Ontario)
L8P 1L4
Tél.: (416) 526-1111

BBB of Kitchener-Waterloo
58, rue Scott
Kitchener (Ontario)
N2H 2R1
Tél.: (519) 579-3080

BBB of Windsor
and District
Canada Square
500, Riverside Drive ouest
Windsor (Ontario) N9A 5K6
Tél.: (519) 258-7222

Manitoba

BBB of Metropolitan
Winnipeg
Bureau 204
365, rue Hargrave
Winnipeg (Manitoba)
R3B 2K3
Tél.: (204) 943-1486

Alberta

BBB of Calgary
Bureau 404
630, 8e Avenue
sud-ouest
Calgary (Alberta) T2P 1G6
Tél.: (403) 269-3905

BBB of Edmonton
600, Édifice Guardian
10240, 124e Rue
Edmonton (Alberta) T5N 3W6
Tél.: (403) 482-2341

Colombie-Britannique

BBB of Mainland BC
Bureau 404
788, rue Beatty
Vancouver
(Colombie-Britannique)
V6B 2M1
Tél.: (604) 682-2711

et
304-141, rue Victoria
Kamloops
(Colombie-Britannique)
V2X 1Z5
Tél.: (604) 372-1525

BBB of Vancouver Island
M37-635, rue Humboldt
Victoria
(Colombie-Britannique)
V8W 1A7
Tél.: (604) 386-6348

Association des consommateurs du Canada

Bureaux nationaux

251, avenue Laurier ouest
Bureau 801
Ottawa (Ontario) K1P 5Z9
Tél.: (613) 232-9661

2660 Southvale Crescent
Ottawa (Ontario) K1B 5C4
Tél.: (613) 733-9450

Associations provinciales et territoriales

Terre-Neuve

Attn: Robert Sexty
92 Old Topsoil Road
St. John's
Newfoundland
A1E 2A8
Tél.: (709) 579-3311

Nouvelle-Écosse

Attn: Margaret Holgate
2051, rue MacDonald
Halifax
(Nouvelle-Écosse)
Tél.: (902) 422-4052

Ontario	Attn: Bernice MacLean 348, Rosslyn Drive Burlington (Ontario) L7N 1S6 Tél.: (416) 637-9646
Manitoba	Attn: Wendy Barker 900-294, avenue Portage Winnipeg (Manitoba) R3C 0B9 Tél.: (204) 775-6628
Saskatchewan	Attn: Rhonda Stevenson 531, Upland Drive Regina (Saskatchewan) S4R 6E1 Tél.: (306) 545-7480
Colombie-Britannique	Attn: Gina Hartley 34723, rue Immel Abbottsford (Colombie-Britannique) V2S 4T8 Tél.: (604) 859-9448
Territoire du Yukon	Attn: Maureen Morin 95, Valley View Whitehorse (Yukon)
Alberta	Attn: Sally Hall 18608-80 Avenue Edmonton (Alberta) T5T 1E9 Tél.: (403) 481-4091

Québec

Attn: Jean-Claude Beauchamp
45, rue Jarry est
Montréal (Québec)
H2P 1F9
Tél.: (514) 388-2709

Autres agences

"Market place"

c/o Canadian
Broadcasting Corporation
C.P. 2000, Succ. A
Toronto (Ontario)
M5W 2A2
Tél.: (416) 925-3311

Plaintes sur la sécurité des véhicules

Transports Canada
Direction de la sécurité
routière et des
véhicules à moteur
Place de Ville
Tour "C"
Ottawa (Ontario)
K1A 0N5
Tél.: (613) 996-2236

Association de protection
des automobilistes
292, boul. Saint-Joseph ouest
Montréal (Québec)
H2V 2N7
Tél.: (514) 273-1733

Plaintes sur les aliments et drogues

Direction de la protection
de la santé
Tunney's Pasture
Ottawa (Ontario)
K1A 0L2
Tél.: (613) 995-6191

Table des matières

Lithographié au Canada
sur les presses de
Métropole Litho Inc.

Légumes, Les, John Goode
Liqueurs et philtres d'amour, Hélène Morasse
Ma cuisine maison, Jehane Benoit
Madame reçoit, Hélène Durand-LaRoche
* **Menu de santé,** Louise Lambert-Lagacé
Pâtes à toutes les sauces, Les, Lucette Lapointe
Pâtisserie, La, Maurice-Marie Bellot
Petite et grande cuisine végétarienne, Manon Bédard
Poissons et crustacés
Poissons et fruits de mer, Soeur Berthe
* **Poulet à toutes les sauces, Le,** Monique Thyraud de Vosjoli
Recettes à la bière des grandes cuisines Molson, Les, Marcel L. Beaulieu
Recettes au blender, Juliette Huot
Recettes de gibier, Suzanne Lapointe
Recettes de Juliette, Les, Juliette Huot
Recettes pour aider à maigrir, Dr Jean-Paul Ostiguy
Robot culinaire, Le, Pol Martin
Sauces pour tous les plats, Huguette Gaudette, Suzanne Colas
* **Techniques culinaires, Les,** Soeur Berthe
* **Une cuisine sage,** Louise Lambert-Lagacé
Vins, cocktails et spiritueux, Gilles Cloutier
Y'a du soleil dans votre assiette, Francine Georget

DOCUMENTS — BIOGRAPHIES

Art traditionnel au Québec, L', M. Lessard et H. Marquis
Artisanat québécois, T. I, Cyril Simard
Artisanat québécois, T. II, Cyril Simard
Artisanat québécois, T. III, Cyril Simard
Bien pensants, Les, Pierre Berton
Charlebois, qui es-tu? Benoît L'Herbier
Comité, Le, M. et P. Thyraud de Vosjoli
Daniel Johnson, T. I, Pierre Godin
Daniel Johnson, T. II, Pierre Godin
Deux innocents en Chine Rouge, Jacques Hébert, Pierre E. Trudeau
Duplessis, l'ascension, T. I, Conrad Black
Duplessis, le pouvoir, T. II, Conrad Black
Dynastie des Bronfman, La, Peter C. Newman
Écoles de rang au Québec, Les, Jacques Dorion
* **Ermite, L',** T. Lobsang Rampa
Establishment canadien, L', Peter C. Newman
Fabuleux Onassis, Le, Christian Cafarakis
Filière canadienne, La, Jean-Pierre Charbonneau
Frère André, Le, Micheline Lachance
Insolences du frère Untel, Les, Frère Untel
Invasion du Canada L', T. I, Pierre Berton
Invasion du Canada L', T. II, Pierre Berton
John A. Macdonald, T. I, Donald Creighton
John A. Macdonald, T. II, Donald Creighton
Lamia, P.L. Thyraud de Vosjoli
Magadan, Michel Solomon
Maison traditionnelle au Québec, La, M. Lessard, G. Vilandré
Mammifères de mon pays, Les, St-Denys-Duchesnay-Dumais
Masques et visages du spiritualisme contemporain, Julius Evola
Mastantuono, M. Mastantuono, M. Auger
Mon calvaire roumain, Michel Solomon
Moulins à eau de la vallée du St-Laurent, Les, F. Adam-Villeneuve, C. Felteau
Mozart raconté en 50 chefs-d'oeuvre, Paul Roussel
Nos aviateurs, Jacques Rivard
Nos soldats, George F.G. Stanley
Nouveaux Riches, Les, Peter C. Newman
Objets familiers de nos ancêtres, Les, Vermette, Genêt, Décarie-Audet
Oui, René Lévesque
* **OVNI,** Yurko Bondarchuck
Papillons du Québec, Les, B. Prévost et C. Veilleux
Patronage et patroneux, Alfred Hardy
Petite barbe, j'ai vécu 40 ans dans le Grand Nord, La, André Steinmann
* **Pour entretenir la flamme,** T. Lobsang Rampa
Prague, l'été des tanks, Desgraupes, Dumayet, Stanké
Prince de l'Église, le cardinal Léger, Le, Micheline Lachance

Provencher, le dernier des coureurs de bois, Paul Provencher
Réal Caouette, Marcel Huguet
Révolte contre le monde moderne, Julius Evola
Struma, Le, Michel Solomon
Temps des fêtes au Québec, Le, Raymond Montpetit
Terrorisme québécois, Le, Dr Gustave Morf
* **Treizième chandelle, La,** T. Lobsang Rampa
Troisième voie, La, Me Emile Colas
Trois vies de Pearson, Les, J.-M. Poliquin, J.R. Beal
Trudeau, le paradoxe, Anthony Westell
Vizzini, Sal Vizzini
Vrai visage de Duplessis, Le, Pierre Laporte

ENCYCLOPÉDIES

Encyclopédie de la chasse au Québec, Bernard Leiffet
Encyclopédie de la maison québécoise, M. Lessard, H. Marquis
* **Encyclopédie de la santé de l'enfant, L',** Richard I. Feinbloom
Encyclopédie des antiquités du Québec, M. Lessard, H. Marquis
Encyclopédie des oiseaux du Québec, W. Earl Godfrey
Encyclopédie du jardinier horticulteur, W.H. Perron
Encyclopédie du Québec, vol. I, Louis Landry
Encyclopédie du Québec, vol. II, Louis Landry

ENFANCE ET MATERNITÉ

* **Aider son enfant en maternelle et en 1ère année,** Louise Pedneault-Pontbriand
* **Aider votre enfant à lire et à écrire,** Louise Doyon-Richard
Avoir un enfant après 35 ans, Isabelle Robert
* **Comment avoir des enfants heureux,** Jacob Azerrad
Comment amuser nos enfants, Louis Stanké
* **Comment nourrir son enfant,** Louise Lambert-Lagacé
* **Découvrez votre enfant par ses jeux,** Didier Calvet
Des enfants découvrent l'agriculture, Didier Calvet
* **Développement psychomoteur du bébé, Le,** Didier Calvet
* **Douze premiers mois de mon enfant, Les,** Frank Caplan
Droits des futurs parents, Les, Valmai Howe Elkins
* **En attendant notre enfant,** Yvette Pratte-Marchessault
Enfant unique, L', Ellen Peck
* **Éveillez votre enfant par des contes,** Didier Calvet
* **Exercices et jeux pour enfants,** Trude Sekely
Femme enceinte, La, Dr Robert A. Bradley
Futur père, Yvette Pratte-Marchessault
* **Jouons avec les lettres,** Louise Doyon-Richard
* **Langage de votre enfant, Le,** Claude Langevin
Maman et son nouveau-né, La, Trude Sekely
Merveilleuse histoire de la naissance, Dr Lionel Gendron
Pour bébé, le sein ou le biberon, Yvette Pratte-Marchessault
Pour vous future maman, Trude Sekely
* **Préparez votre enfant à l'école,** Louise Doyon-Richard
* **Psychologie de l'enfant, La,** Françoise Cholette-Pérusse
* **Tout se joue avant la maternelle,** Isuba Mansuka
* **Trois premières années de mon enfant, Les,** Dr Burton L. White
* **Une naissance apprivoisée,** Edith Fournier, Michel Moreau

LANGUE

Améliorez votre français, Jacques Laurin
* **Anglais par la méthode choc, L',** Jean-Louis Morgan

Corrigeons nos anglicismes, Jacques Laurin
* J'apprends l'anglais, G. Silicani et J. Grisé-Allard
Notre français et ses pièges, Jacques Laurin
Petit dictionnaire du joual au français, Augustin Turennes
Verbes, Les, Jacques Laurin

LITTÉRATURE

Adieu Québec, André Bruneau
Allocutaire, L', Gilbert Langlois
Arrivants, Les, collaboration
Berger, Les, Marcel Cabay-Marin
Bigaouette, Raymond Lévesque
Carnivores, Les, François Moreau
Carré St-Louis, Jean-Jules Richard
Centre-ville, Jean-Jules Richard
Chez les termites, Madeleine Ouellette-Michalska
Commettants de Caridad, Les, Yves Thériault
Danka, Marcel Godin
Débarque, La, Raymond Plante
Domaine Cassaubon, Le, Gilbert Langlois
Doux mal, Le, Andrée Maillet
D'un mur à l'autre, Paul-André Bibeau
Emprise, L', Gaétan Brulotte
Engrenage, L', Claudine Numainville
En hommage aux araignées, Esther Rochon
Faites de beaux rêves, Jacques Poulin
Fuite immobile, La, Gilles Archambault
J'parle tout seul quand Jean Narrache, Émile Coderre
Jeu des saisons, Le, Madeleine Ouellette-Michalska
Marche des grands cocus, La, Roger Fournier
Monde aime mieux..., Le, Clémence Desrochers
Mourir en automne, Claude DeCotret
N'Tsuk, Yves Thériault
Neuf jours de haine, Jean-Jules Richard
New medea, Monique Bosco
Outaragasipi, L', Claude Jasmin
Petite fleur du Vietnam, La, Clément Gaumont
Pièges, Jean-Jules Richard
Porte silence, Paul-André Bibeau
Requiem pour un père, François Moreau
Si tu savais..., Georges Dor
Tête blanche, Marie-Claire Blais
Trou, Le, Sylvain Chapdeleine
Visages de l'enfance, Les, Dominique Blondeau

LIVRES PRATIQUES — LOISIRS

Améliorons notre bridge, Charles A. Durand
* **Art du dressage de défense et d'attaque, L',** Gilles Chartier
* **Art du pliage du papier, L',** Robert Harbin
* **Baladi, Le,** Micheline d'Astous
* **Ballet-jazz, Le,** Allen Dow et Mike Michaelson
* **Belles danses, Les,** Allen Dow et Mike Michaelson
Bien nourrir son chat, Christian d'Orangeville
Bien nourrir son chien, Christian d'Orangeville
Bonnes idées de maman Lapointe, Les, Lucette Lapointe
* **Bridge, Le,** Vivianne Beaulieu
Budget, Le, en collaboration
Choix de carrières, T. I, Guy Milot
Choix de carrières, T. II, Guy Milot
Choix de carrières, T. III, Guy Milot
Collectionner les timbres, Yves Taschereau
Comment acheter et vendre sa maison, Lucile Brisebois
Comment rédiger son curriculum vitae, Julie Brazeau
Comment tirer le maximum d'une mini-calculatrice, Henry Mullish
Conseils aux inventeurs, Raymond-A. Robic
Construire sa maison en bois rustique, D. Mann et R. Skinulis
Crochet jacquard, Le, Brigitte Thérien
Cuir, Le, L. St-Hilaire, W. Vogt
* **Découvrir son ordinateur personnel,** François Faguy
Dentelle, La, Andrée-Anne de Sève
Dentelle II, La, Andrée-Anne de Sève
Dictionnaire des affaires, Le, Wilfrid Lebel

* **Dictionnaire des mots croisés — noms communs,** Paul Lasnier
* **Dictionnaire des mots croisés — noms propres,** Piquette-Lasnier-Gauthier
Dictionnaire économique et financier, Eugène Lafond
* **Dictionnaire raisonné des mots croisés,** Jacqueline Charron
Emploi idéal en 4 minutes, L', Geoffrey Lalonde
Étiquette du mariage, L', Marcelle Fortin-Jacques
Faire son testament soi-même, Me G. Poirier et M. Nadeau Lescault
Fins de partie aux dames, H. Tranquille et G. Lefebvre
Fléché, Le, F. Bourret, L. Lavigne
Frivolité, La, Alexandra Pineault-Vaillancourt
Gagster, Claude Landré
Guide complet de la couture, Le, Lise Chartier
* **Guide complet des cheveux, Le,** Phillip Kingsley
Guide du chauffage au bois, Le, Gordon Flagler
* **Guitare, La,** Peter Collins
Hypnotisme, L', Jean Manolesco
* **J'apprends à dessiner,** Joanna Nash
Jeu de la carte et ses techniques, Le, Charles A. Durand
Jeux de cartes, Les, George F. Hervey
* **Jeux de dés, Les,** Skip Frey
Jeux d'hier et d'aujourd'hui, S. Lavoie et Y. Morin
* **Jeux de société,** Louis Stanké
* **Jouets, Les,** Nicole Bolduc
* **Lignes de la main, Les,** Louis Stanké
Loi et vos droits, La, Me Paul-Émile Marchand
Magie et tours de passe-passe, Ian Adair
Magie par la science, La, Walter B. Gibson
* **Manuel de pilotage**
Marionnettes, Les, Roger Régnier
Mécanique de mon auto, La, Time Life Books
* **Mon chat, le soigner, le guérir,** Christian d'Orangeville
Nature et l'artisanat, La, Soeur Pauline Roy
* **Noeuds, Les,** George Russel Shaw
Nouveau guide du propriétaire et du locataire, Le, Mes M. Bolduc, M. Lavigne, J. Giroux
* **Ouverture aux échecs, L',** Camille Coudari
Papier mâché, Le, Roger Régnier
P'tite ferme, les animaux, La, Jean-Claude Trait
Petit manuel de la femme au travail, Lise Cardinal
Poids et mesures, calcul rapide, Louis Stanké
Races de chats, chats de race, Christian d'Orangeville
Races de chiens, chiens de race, Christian d'Orangeville
Roulez sans vous faire rouler, T. I, Philippe Edmonston
Roulez sans vous faire rouler, T. II, le guide des voitures d'occasion, Philippe Edmonston
Savoir-vivre d'aujourd'hui, Le, Marcelle Fortin-Jacques
Savoir-vivre, Nicole Germain
Scrabble, Le, Daniel Gallez
Secrétaire bilingue, Le/la, Wilfrid Lebel
Secrétaire efficace, La, Marian G. Simpsons
Tapisserie, La, T.M. Perrier, N.B. Langlois
* **Taxidermie, La,** Jean Labrie
Tenir maison, Françoise Gaudet-Smet
Terre cuite, Robert Fortier
Tissage, Le, G. Galarneau, J. Grisé-Allard
Tout sur le macramé, Virginia I. Harvey
Trouvailles de Clémence, Les, Clémence Desrochers
2001 trucs ménagers, Lucille Godin
Vive la compagnie, Pierre Daigneault
Vitrail, Le, Claude Bettinger
Voir clair aux dames, H. Tranquille, G. Lefebvre
* **Voir clair aux échecs,** Henri Tranquille
* **Votre avenir par les cartes,** Louis Stanké
Votre discothèque, Paul Roussel

PHOTOGRAPHIE

* **8/super 8/16,** André Lafrance
* **Apprendre la photo de sport,** Denis Brodeur
* **Apprenez la photographie avec Antoine Desilets**
* **Chasse photographique, La,** Louis-Philippe Coiteux
* **Découvrez le monde merveilleux de la photographie,** Antoine Desilets
* **Je développe mes photos,** Antoine Desilets

* **Guide des accessoires et appareils photos, Le,** Antoine Desilets, Paul Taillefer
* **Je prends des photos,** Antoine Desilets
* **Photo à la portée de tous, La,** Antoine Desilets
* **Photo de A à Z, La,** Desilets, Coiteux, Gariépy
* **Photo Reportage,** Alain Renaud
* **Technique de la photo, La,** Antoine Desilets

PLANTES ET JARDINAGE

Arbres, haies et arbustes, Paul Pouliot
Automne, le jardinage aux quatre saisons, Paul Pouliot
* **Décoration intérieure par les plantes, La,** M. du Coffre, T. Debeur
Été, le jardinage aux quatre saisons, Paul Pouliot
Guide complet du jardinage, Le, Charles L. Wilson
Hiver, le jardinage aux quatre saisons, Paul Pouliot
Jardins d'intérieur et serres domestiques, Micheline Lachance
Jardin potager, la p'tite ferme, Le, Jean-Claude Trait
Je décore avec des fleurs, Mimi Bassili
Plantes d'intérieur, Les, Paul Pouliot
Printemps, le jardinage aux quatre saisons, Paul Pouliot
Techniques du jardinage, Les, Paul Pouliot
* **Terrariums, Les,** Ken Kayatta et Steven Schmidt
Votre pelouse, Paul Pouliot

PSYCHOLOGIE

Âge démasqué, L', Hubert de Ravinel
* **Aider mon patron à m'aider,** Eugène Houde
* **Amour, de l'exigence à la préférence, L',** Lucien Auger
Caractères et tempéraments, Claude-Gérard Sarrazin
* **Coeur à l'ouvrage, Le,** Gérald Lefebvre
* **Comment animer un groupe,** collaboration
* **Comment déborder d'énergie,** Jean-Paul Simard
* **Comment vaincre la gêne et la timidité,** René-Salvator Catta
* **Communication dans le couple, La,** Luc Granger
* **Communication et épanouissement personnel,** Lucien Auger
Complexes et psychanalyse, Pierre Valinieff
* **Contact,** Léonard et Nathalie Zunin
* **Courage de vivre, Le,** Dr Ari Kiev
Dynamique des groupes, J.M. Aubry, Y. Saint-Arnaud
* **Émotivité et efficacité au travail,** Eugène Houde
* **Être soi-même,** Dorothy Corkille Briggs
* **Facteur chance, Le,** Max Gunther
* **Fantasmes créateurs, Les,** J.L. Singer, E. Switzer
Frères — Soeurs, la rivalité fraternelle, Dr J.F. McDermott, Jr
* **Hypnose, bluff ou réalité?,** Alain Marillac
* **Interprétez vos rêves,** Louis Stanké
* **J'aime,** Yves Saint-Arnaud
* **Mise en forme psychologique, La,** Richard Corriere et Joseph Hart
* **Parle moi... j'ai des choses à te dire,** Jacques Salomé
Penser heureux, Lucien Auger
* **Personne humaine, La,** Yves Saint-Arnaud
* **Première impression, La,** Chris. L. Kleinke
* **Psychologie de l'amour romantique, La,** Dr Nathaniel Branden
* **S'affirmer et communiquer,** J.-M. Boisvert, M. Beaudry
* **S'aider soi-même,** Lucien Auger
* **S'aider soi-même davantage,** Lucien Auger
* **S'aimer pour la vie,** Dr Zev Wanderer et Erika Fabian
* **Savoir organiser, savoir décider,** Gérald Lefebvre
* **Savoir relaxer pour combattre le stress,** Dr Edmund Jacobson
* **Se changer,** Michael J. Mahoney
* **Se comprendre soi-même,** collaboration
* **Se concentrer pour être heureux,** Jean-Paul Simard

* **Se connaître soi-même,** Gérard Artaud
* **Se contrôler par le biofeedback,** Paultre Ligondé
* **Se créer par la gestalt,** Joseph Zinker

Se guérir de la sottise, Lucien Auger
S'entraider, Jacques Limoges
Séparation du couple, La, Dr Robert S. Weiss

* **Trouver la paix en soi et avec les autres,** Dr Theodor Rubin
* **Vaincre ses peurs,** Lucien Auger
* **Vivre avec sa tête ou avec son coeur,** Lucien Auger

Volonté, l'attention, la mémoire, La, Robert Tocquet
Votre personnalité, caractère..., Yves Benoit Morin

* **Vouloir c'est pouvoir,** Raymond Hull

Yoga, corps et pensée, Bruno Leclercq
Yoga des sphères, Le, Bruno Leclercq

SEXOLOGIE

* **Avortement et contraception,** Dr Henry Morgentaler
* **Bien vivre sa ménopause,** Dr Lionel Gendron
* **Comment séduire les femmes,** E. Weber, M. Cochran
* **Comment séduire les hommes,** Nicole Ariana

Fais voir! W. McBride et Dr H.F.-Hardt

* **Femme enceinte et la sexualité, La,** Elizabeth Bing, Libby Colman

Femme et le sexe, La, Dr Lionel Gendron

* **Guide gynécologique de la femme moderne, Le,** Dr Sheldon H. Sherry

Helga, Eric F. Bender
Homme et l'art érotique, L', Dr Lionel Gendron
Maladies transmises sexuellement, Les, Dr Lionel Gendron
Qu'est-ce qu'un homme? Dr Lionel Gendron
Quel est votre quotient psycho-sexuel? Dr Lionel Gendron

* **Sexe au féminin, Le,** Carmen Kerr

Sexualité, La, Dr Lionel Gendron

* **Sexualité du jeune adolescent, La,** Dr Lionel Gendron

Sexualité dynamique, La, Dr Paul Lefort

* **Ta première expérience sexuelle,** Dr Lionel Gendron et A.-M. Ratelle
* **Yoga sexe,** S. Piuze et Dr L. Gendron

SPORTS

ABC du hockey, L', Howie Meeker

* **Aïkido — au-delà de l'agressivité,** M. N.D. Villadorata et P. Grisard

Apprenez à patiner, Gaston Marcotte

* **Armes de chasse, Les,** Charles Petit-Martinon
* **Badminton, Le,** Jean Corbeil

Ballon sur glace, Le, Jean Corbeil
Bicyclette, La, Jean Corbeil

* **Canoé-kayak, Le,** Wolf Ruck
* **Carte et boussole,** Björn Kjellström

100 trucs de billard, Pierre Morin
Chasse et gibier du Québec, Greg Guardo, Raymond Bergeron
Chasseurs sachez chasser, Lucien B. Lapierre

* **Comment se sortir du trou au golf,** L. Brien et J. Barrette
* **Comment vivre dans la nature,** Bill Riviere
* **Conditionnement physique, Le,** Chevalier-Laferrière-Bergeron
* **Corrigez vos défauts au golf,** Yves Bergeron

Corrigez vos défauts au jogging, Yves Bergeron
Danse aérobique, La, Barbie Allen

* **En forme après 50 ans,** Trude Sekely
* **En superforme par la méthode de la NASA,** Dr Pierre Gravel

Entraînement par les poids et haltères, Frank Ryan
Équitation en plein air, L', Jean-Louis Chaumel
Exercices pour rester jeune, Trude Sekely

* **Exercices pour toi et moi,** Joanne Dussault-Corbeil

Femme et le karaté samouraï, La, Roger Lesourd
Guide du judo (technique debout), Le, Louis Arpin

* **Guide du self-defense, Le,** Louis Arpin
* **Guide de survie de l'armée américaine, Le**

Guide du trappeur, Paul Provencher
Initiation à la plongée sous-marine, René Goblot

* **J'apprends à nager,** Régent LaCoursière
* **Jogging, Le,** Richard Chevalier
Jouez gagnant au golf, Luc Brien, Jacques Barrette
* **Jouons ensemble,** P. Provost, M.J. Villeneuve
* **Karaté, Le,** André Gilbert
* **Karaté Sankukai, Le,** Yoshinao Nanbu
Larry Robinson, le jeu défensif au hockey, Larry Robinson
Lutte olympique, La, Marcel Sauvé, Ronald Ricci
* **Marathon pour tous, Le,** P. Anctil, D. Bégin, P. Montuoro
Marche, La, Jean-François Pronovost
Maurice Richard, l'idole d'un peuple, Jean-Marie Pellerin
* **Médecine sportive, La,** M. Hoffman et Dr G. Mirkin
Mon coup de patin, le secret du hockey, John Wild
* **Musculation pour tous, La,** Serge Laferrière
Nadia, Denis Brodeur et Benoît Aubin
Natation de compétition, La, Régent LaCoursière
Navigation de plaisance au Québec, La, R. Desjardins et A. Ledoux
Mes observations sur les insectes, Paul Provencher
Mes observations sur les mammifères, Paul Provencher
Mes observations sur les oiseaux, Paul Provencher
Mes observations sur les poissons, Paul Provencher
Passes au hockey, Les, Chapleau-Frigon-Marcotte
Parachutisme, Le, Claude Bédard
Pêche à la mouche, La, Serge Marleau
Pêche au Québec, La, Michel Chamberland
Pistes de ski de fond au Québec, Les, C. Veilleux et B. Prévost
Planche à voile, La, P. Maillefer
* **Pour mieux jouer, 5 minutes de réchauffement,** Yves Bergeron
* **Programme XBX de l'aviation royale du Canada**
Puissance au centre, Jean Béliveau, Hugh Hood
Racquetball, Le, Jean Corbeil
Racquetball plus, Jean Corbeil
** **Randonnée pédestre, La,** Jean-François Pronovost
Raquette, La, William Osgood et Leslie Hurley
Règles du golf, Les, Yves Bergeron
Rivières et lacs canotables du Québec, F.Q.C.C.
* **S'améliorer au tennis,** Richard Chevalier
Secrets du baseball, Les, C. Raymond et J. Doucet
Ski nautique, Le, G. Athans Jr et A. Ward
* **Ski de randonnée, Le,** J. Corbeil, P. Anctil, D. Bégin
Soccer, Le, George Schwartz
* **Squash, Le,** Jean Corbeil
Squash, Le, Jim Rowland
Stratégie au hockey, La, John Meagher
Surhommes du sport, Les, Maurice Desjardins
Techniques du billard, Pierre Morin
* **Techniques du golf,** Luc Brien, Jacques Barrette
Techniques du hockey en U.R.S.S., André Ruel et Guy Dyotte
* **Techniques du tennis,** Ellwanger
* **Tennis, Le,** Denis Roch
Terry Fox, le marathon de l'espoir, J. Brown et G. Harvey
Tous les secrets de la chasse, Michel Chamberland
Troisième retrait, Le, C. Raymond, M. Gaudette
Vivre en forêt, Paul Provencher
Vivre en plein air, camping-caravaning, Pierre Gingras
Voie du guerrier, La, Massimo N. di Villadorata
Voile, La, Nick Kebedgy

Imprimé au Canada/Printed in Canada